CYFOETH, CELF A CHYDWYBOD

LLAFUR CARIAD CHWIORYDD GREGYNOG

Cyhoeddwyd gyntaf yn 2007 gan Llyfrau Amgueddfa Cymru,
Parc Cathays, Caerdydd, CF10 3NP, Cymru.

ISBN 978-0-7200-0582-0

Cynhyrchu: Mari Gordon
Dylunio: MO-Design
Argraffu: Gwasg Gomer
Cyfieithu: Siân Roberts
Ar gael yn y Saesneg fel *'Things of Beauty': what two sisters did for Wales,*
ISBN 978-0-7200-0581-3

Clawr blaen: Margaret Davies yn ei hugeiniau cynnar. *Casgliad preifat.*

Y tu fewn i'r clawr: Gwendoline Davies ym 1937. *Casgliad preifat.*

Dalen frig: Claude Monet, *Lilïau Dŵr,* (1908).

Tudalen deitl: Neuadd Gregynog heddiw. *Ray Edgar.*

Clawr cefn: Camille Pissarro, *Machlud, Porthladd Rouen,* 1898. Prynodd Margaret y darlun yma ym 1920. Roedd Rouen yn gyfarwydd iddi ers iddi dreulio amser yno ym 1919. Efallai hefyd fod yr olygfa o ddiwydiant morwrol yn apelio ati, gan ei hatgoffa o sylfaen ei chyfoeth, sef gwaith ei thaid yn cloddio a chludo glo ar draws y byd yn ystod y Chwyldro Diwydiannol.

Noddir gan
Lywodraeth
Cynulliad Cymru
Sponsored by
Welsh Assembly
Government

Claude Monet 190

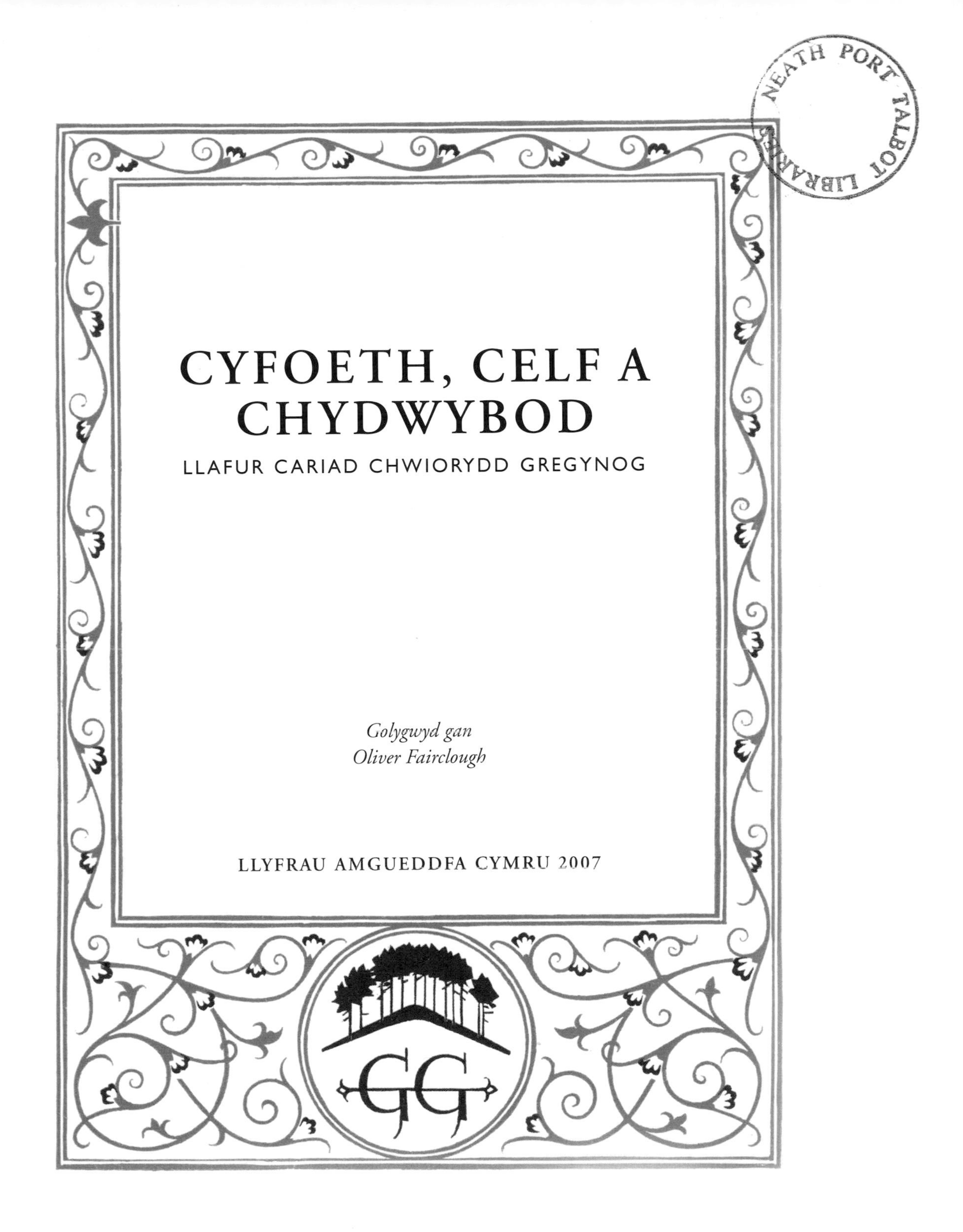

CYFOETH, CELF A CHYDWYBOD

LLAFUR CARIAD CHWIORYDD GREGYNOG

Golygwyd gan
Oliver Fairclough

LLYFRAU AMGUEDDFA CYMRU 2007

RHAGAIR

Mae'r llyfr hwn a'r arddangosfa gysylltiedig yn dathlu canmlwyddiant Amgueddfa Cymru. Mae'r llyfr a'r arddangosfa yn rhoi golwg newydd i ni ar fywydau a chymeriadau dwy wraig nodedig, ond preifat iawn, a chymwynaswyr mwyaf yr Amgueddfa Genedlaethol yn ei chanrif gyntaf. Gwendoline a Margaret Davies o Landinam, Sir Faldwyn yw'r ddwy wraig, a buont yn arloesi trwy gasglu celfyddyd o waith yr Argraffiadwyr a'r Ôl-Argraffiadwyr. O dderbyn eu cymynroddion ym 1951 a 1963, cafodd casgliad celf cenedlaethol Cymru ei drawsnewid yn llwyr o ran ehangder ac ansawdd.

Gwerthoedd anghydffurfwyr Rhyddfrydol parchus Cymreig dechrau'r ugeinfed ganrif oedd gan y chwiorydd, ac roedd eu casgliad celf yn adlewyrchu dyheadau diwylliannol Cymru ar y pryd. Dim ond awgrym o ehangder a maint dyngarwch y merched a'u brawd, David, a geir yn y llyfr hwn. Fodd bynnag, mae arwyddion gweladwy o haelioni'r teulu i'w gweld o hyd yn sawl rhan o Gymru. Yng Nghaerdydd, yr Amgueddfa Genedlaethol a'r Deml Heddwch; yn Aberystwyth, Adeilad Edward Davies yng Ngholeg y Brifysgol, sef yr Ysgol Gelf erbyn hyn, a'r Llyfrgell Genedlaethol lle mae Oriel Gregynog; ledled Cymru hefyd mae llu o gapeli, ysbytai, neuaddau a chaeau chwarae (a phethau eraill a gollwyd erbyn hyn – fel y pyllau glo a fu'n ffynhonnell cyfoeth gwreiddiol y teulu). Yna, mae Oriel Davies yn y Drenewydd, â'i rhaglen nodedig o arddangosfeydd a gweithgareddau addysgol. Yn bennaf oll, mae Gregynog, 'plasty unigryw ymhlith plastai Cymru', a fu'n gartref i'r chwiorydd am ran helaeth o'u bywydau. Gadawodd Margaret Gregynog i Brifysgol Cymru, ac erbyn hyn mae'n ganolfan gynadledda breswyl lewyrchus.

Er hyn i gyd, rhy brin fu'r sylw i ymdrechion y chwiorydd i wella byd eu cydwladwyr trwy gelfyddyd, cerddoriaeth a thrafod problemau cymdeithasol – ymdrechion rhyfeddol eu delfrydiaeth sydd mor berthnasol heddiw ag yr oeddent yn y 1930au. Merched di-briod oedd Gwen a Daisy – fel yr oedd eu teulu a'u ffrindiau'n eu hadnabod – a gallent ymddangos yn swil ac yn anghyfforddus mewn cwmni. Er eu bod yn addfwyn, gellid dweud eu bod yn gymeriadau digon trist erbyn iddynt gyrraedd canol oed. Roedd cyfrifoldeb bod mor gyfoethog yng nghanol y fath dlodi a dioddefaint, a'u dyletswydd grefyddol i ddefnyddio'u cyfoeth er budd eraill yn ogystal â nhw'u hunain, yn dipyn o faich arnynt. Weithiau, byddai Margaret yn tynnu glo oddi ar y tân os oedd yn teimlo bod gormod ohono, ac roedd dywediad yn y teulu ei bod yn haws cael £10,000 na hanner coron gan 'Aunt Daisy'.

De: Margaret Sidney Davies (1884-1963) a Gwendoline Elizabeth Davies (1882-1951).

Nid pleser llwyr oedd ymweld â Gregynog i bawb yn ystod y 1920au a'r 1930au. Ysgrifennodd cefnder y chwiorydd, George Maitland Lloyd Davies, yr heddychwr Cristnogol a fu'n Aelod Seneddol dros Brifysgol Cymru am gyfnod byr, am 'erchyllderau Gregynog'. Dywedai eraill hefyd fod y plasty mawreddog, a gostiai rhyw £10,000 y flwyddyn i'w redeg ar y pryd, yn ddigon i godi braw arnynt. Roedd y cynulliadau yno'n hollol ddi-alcohol – er y cafodd y chwiorydd eu darbwyllo un tro i archebu cyflenwad o ddiodydd meddwol o Harrod's ar gyfer y Prif Weinidog, Stanley Baldwin. Ar y cyfan, roedd awyrgylch Gregynog yn ddigynnwrf ac yn weddus ac roedd disgwyl i ymwelwyr fynd i'r cwrdd anenwadol ar y Sul. Serch hynny, roedd y rhan fwyaf o ymwelwyr ar ben eu digon oherwydd y gerddoriaeth swynol, y gelfyddyd gyfoethog, y gerddi hardd a symlrwydd a didwylledd y chwiorydd. Dri chwarter canrif yn ddiweddarach, gall fod yn anodd treiddio trwy ddelwedd gyhoeddus y chwiorydd fel arglwyddesau Gregynog. Mae'r llyfr hwn yn cyflwyno darlun gwahanol a hapusach ohonynt fel merched ifanc cyn y Rhyfel Byd Cyntaf pan aethant ati i ddechrau casglu gweithiau celf yr Argraffiadwyr, ond mae hefyd yn ystyried effaith ddinistriol y Rhyfel arnynt. Mae eu daioni cynhenid a'u gorchestion eithriadol yn disgleirio trwy bob pennod. Fel yr ysgrifennodd un o ymwelwyr Gregynog, mater o arian di-ben-draw yn cael ei wario'n ddoeth ac yn dda oedd hi.

Dyma'r astudiaeth estynedig gyntaf o'r chwiorydd ers i Eirene White gyhoeddi *The Ladies of Gregynog,* ar sail adnabyddiaeth ac atgofion personol yr awdur, ym 1985. Gobeithio ein bod ni wedi llwyddo i ychwanegu at y gyfrol honno ac y bydd y llyfr hwn yn ysgogi rhagor o waith ar ddwy wraig a wnaeth gymaint dros Gymru a'i phobl.

Michael Houlihan
Cyfarwyddwr Cyffredinol
Amgueddfa Cymru

DIOLCHIADAU

Gan fod dyngarwch Gwendoline a Margaret Davies wedi cyffwrdd â chynifer o feysydd ym mywyd Cymru, bu llu o bobl yn hael â'u hamser a'u gwybodaeth. Y cyntaf ymhlith y rhain yw gor-nai'r chwiorydd, David, yr Arglwydd Davies presennol o Landinam, a'i wraig Bea. Seiliwyd y llyfr hwn i raddau helaeth ar bapurau'r teulu a'r ffotograffau sydd yn eu gofal, ac ni allem fod wedi ei gyhoeddi heb eu caredigrwydd yn caniatáu i ni weld y rhain a'u hamynedd yn ateb pob math o gwestiynau. Bu nith y chwiorydd, Jean Cormack, a'u cyfnither, Elizabeth Rowlands-Hughes, yn rhannu atgofion personol amdanynt, ac roeddem yn ddiolchgar iawn hefyd am wybodaeth gan Camilla Davies. Cawsom gofnodi atgofion yr Athro Ian Parrott, Ottoline Mary Jones, Thelma Watkin, Margaret Doreen Shuker, Clive Edwards a Gwyneth Williams am fywyd yng Ngregynog hefyd. Ysgrifennodd Robert Blayney, John Christopher, Graham Richards, Brian Taylor, A. J. Heward Rees a Jayne Davies atom yn sôn am eu profiadau o'r chwiorydd a Gregynog. O Awstralia, anfonodd Mary Hackett gopïau o'i llythyron atom yn disgrifio'i 'hantur Gymreig' yn haf 1938. Yn ogystal, roedd David Lewis yn eithriadol o hael â'i waith ymchwil ei hun ar Gregynog a'r Wasg.

Hoffem ddiolch i Wendy Butler (Swyddfa Cofnodion UCL); Dr Rhian Davies; Dr Susan J. Davies (Adran Hanes a Hanes Cymru Prifysgol Cymru, Aberystwyth); Mark Evans (Amgueddfa Victoria ac Albert); Lindsay Evans; Amanda Farr a Clare Martin yn Oriel Davies, y Drenewydd; Andrew Green a'i staff yn Llyfrgell Genedlaethol Cymru; Dorothy Harrop; Hugh Herbert Jones; Neil Holland (Ysgol Gelf Prifysgol Cymru, Aberystwyth); Dr Glyn Tegai Hughes (cyn Warden Gregynog); Ben Jones; Dr Susan Jones (Cyfarwyddwr Gregynog); Ruth Lambert; Dr Margaret McCance; Susan Morgan; Mary Oldham (Llyfrgellydd Gregynog); Rowan O'Neill (BBC Cymru Wales); Dafydd Rowlands-Hughes; Carolyn Stewart; Paul Islwyn Thomas (Indus Films); David Vickers (Gwasg Gregynog) a Yasmine Webb (Barnet Local Studies and Archives) am eu holl gymorth a'u cefnogaeth.

Mae arnom ddyled neilltuol i'r Athro Prys Morgan, awdur y cyflwyniad, ac a fu'n rhannu ei atgofion personol am Gregynog yn y 1960au, ac i Robert Meyrick, a gyfrannodd y bennod ar fywyd yng Ngregynog. Mae ei wybodaeth ef am y chwiorydd Davies a'u cynghorydd Hugh Blaker yn aruthrol.

Yn yr Amgueddfa, mae'r awduron yn ddiolchgar am gefnogaeth Andrew Renton, Beth McIntyre, Charlotte Topsfield, Tim Egan a Clare Smith (pob un ohonynt o'r Adran Gelf). Tynnwyd ffotograffau newydd a chafodd lluniau eraill eu digideiddio gan yr Adran Ffotograffiaeth, a chafwyd gwybodaeth gan Ceri Thompson (Curadur Glo, Big Pit) a Linda Norton (Cartograffydd, Daeareg). Mari Gordon (yr Adran Gyhoeddiadau) fu wrthi'n cynhyrchu.

Melanie Youngs, y gweinyddwr rhan amser, a chydwybod y project, fu'n cadw trefn ar y gwaith. Ni fyddai wedi bod yn bosibl cynnal yr arddangosfa heb grant oddi wrth elusennau Gwendoline a Margaret Davies sydd, fel eu sefydlwyr, wedi bod yn gefnogwyr hael eithriadol i'r Amgueddfa ar hyd y blynyddoedd.

De: Jean-François Millet, *Y Teulu Gwerinol*, 1871-2. Prynodd Margaret y llun anorffenedig yma, gan un o'i hoff artistiaid, ym 1911. Mae'n dangos teulu gwerinol Normanaidd ar glôs eu fferm.

CYNNWYS

PWY OEDD PWY YM MYD Y CHWIORYDD DAVIES

Baldwin, Stanley
(1867-1947), Iarll Baldwin 1af Bewdley: diwydiannwr; gwleidydd Ceidwadol; Prif Weinidog 1923, 1924-9; 1935-7; aeth i Gregynog ar ei wyliau i ddod dros salwch yn Awst a Medi 1936.

Baxandall, David Kighley
(1905-1992): curadur; ceidwad cynorthwyol Celf Amgueddfa Genedlaethol Cymru 1929-39, ceidwad 1939-41; cyfarwyddwr Orielau Celf Dinas Manceinion 1945-52; cyfarwyddwr Orielau Cenedlaethol yr Alban 1952-9.

Blaker, Hugh
(1873-1936): arlunydd; casglwr; masnachwr; curadur Amgueddfa Gelf Holburne, Caerfaddon; cynghorydd Gwendoline a Margaret pan oeddent yn prynu gweithiau celf.

Blaker, Jane
(1869-1947): chwaer Hugh Blaker; athrawes gartref a chydymaith i Gwendoline a Margaret ac i'w llysfam.

Boult, Syr Adrian
(1889-1983): arweinydd; bu'n arwain yng Ngŵyl Gerdd Gregynog a Gŵyl Gerdd Sir Drefaldwyn yn rheolaidd; arweinydd Cerddorfa Symffoni'r BBC, 1931-50.

Bray, Horace Walter
(1877-1963): bu'n gweithio gydag R. A. Maynard fel ysgythrwr pren yng Ngwasg Gregynog.

Davies, David
(1818-1890): neu 'Top Sawyer', sy'n gyfeiriad at ei ddyddiau cynnar ym melinau llifio Sir Faldwyn, neu 'Davies yr Ocean', ar ôl ei gwmni, yr *Ocean Coal Company*; sylfaenydd ffortiwn y teulu; contractwr peirianneg sifil a rheilffyrdd; arloeswr y diwydiant glo; prif gefnogwr dociau'r Barri; Aelod Seneddol; noddwr achosion crefyddol ac addysgol; tad-cu Gwendoline a Margaret.

Davies, Margaret
(1814-1894, Jones gynt): gwraig David Davies. O'r Wern, Llanfair Caereinion, fe gwrddodd â hi wrth adeiladu pont y Neuadd dros afon Banwy ym 1852; mam-gu Gwendoline a Margaret.

Davies, Edward
(1852-1898): unig blentyn David a Margaret Davies; diwydiannwr; tad Gwendoline a Margaret.

Davies, Mary
(1850-1888, Jones gynt): gwraig gyntaf Edward Davies: o Lwynderw, Llandinam; mam Gwendoline a Margaret.

Davies, Elizabeth
(1853-1942, Jones gynt): chwaer iau Mary Davies; ail wraig Edward Davies; o Lwynderw, Llandinam; llysfam Gwendoline a Margaret.

Davies, David
(1880-1944), Arglwydd Davies 1af Llandinam: mab Edward a Mary Davies; diwydiannwr; dyngarwr; Aelod Seneddol; hyrwyddwr Cynghrair y Cenhedloedd; brawd hŷn Gwendoline a Margaret.

Davies, David
(1915-1944): Ail Arglwydd Davies Llandinam, neu 'Mike'; mab David, Arglwydd Davies y 1af ac Amy Davies, Penman gynt; bu farw o anafiadau a gafodd wrth frwydro yn yr Iseldiroedd, Medi 1944; nai Gwendoline a Margaret.

Davies, David
(g.1940): 3ydd Arglwydd Davies Llandinam; mab David, Ail Arglwydd Davies Llandinam ac Eldrydd Davies, Dugdale gynt; gor-nai Gwendoline a Margaret.

Davies, Syr Henry Walford
(1869-1941): cyfansoddwr; Athro Cerddoriaeth cyntaf Gregynog, Prifysgol Cymru, Aberystwyth Cadeirydd y Cyngor Cerddoriaeth Cenedlaethol; Meistr Cerdd y Brenin; trefnydd Gwyliau Gregynog; cynghorydd cerdd a chyfaill mynwesol Gwendoline a Margaret.

Evans, Thomas
(?-1943): rheolwr gyfarwyddwr, *Ocean, Wilson & Co. Ltd* yn y blynyddoedd rhwng y ddau ryfel.

Fisher, George
(1879-1970): rhwymwr llyfrau yng Ngwasg Gregynog.

Fleure, Herbert John
(1877-1969): anthropolegydd a daearyddwr; Athro Daearyddiaeth Gregynog yng Ngholeg Prifysgol Cymru, Aberystwyth, 1917-30.

Greenslade, Sidney Kyffin
(1866-1955): pensaer; cynllunydd prif floc Llyfrgell Genedlaethol Cymru, Aberystwyth; curadur ymgynghorol yr Amgueddfa

Uchod: Y Prif Weinidog, Stanley Baldwin, yn siarad ag Elizabeth Davies ar ôl plannu coeden yn Awst 1936 (gweler tudalen 105).

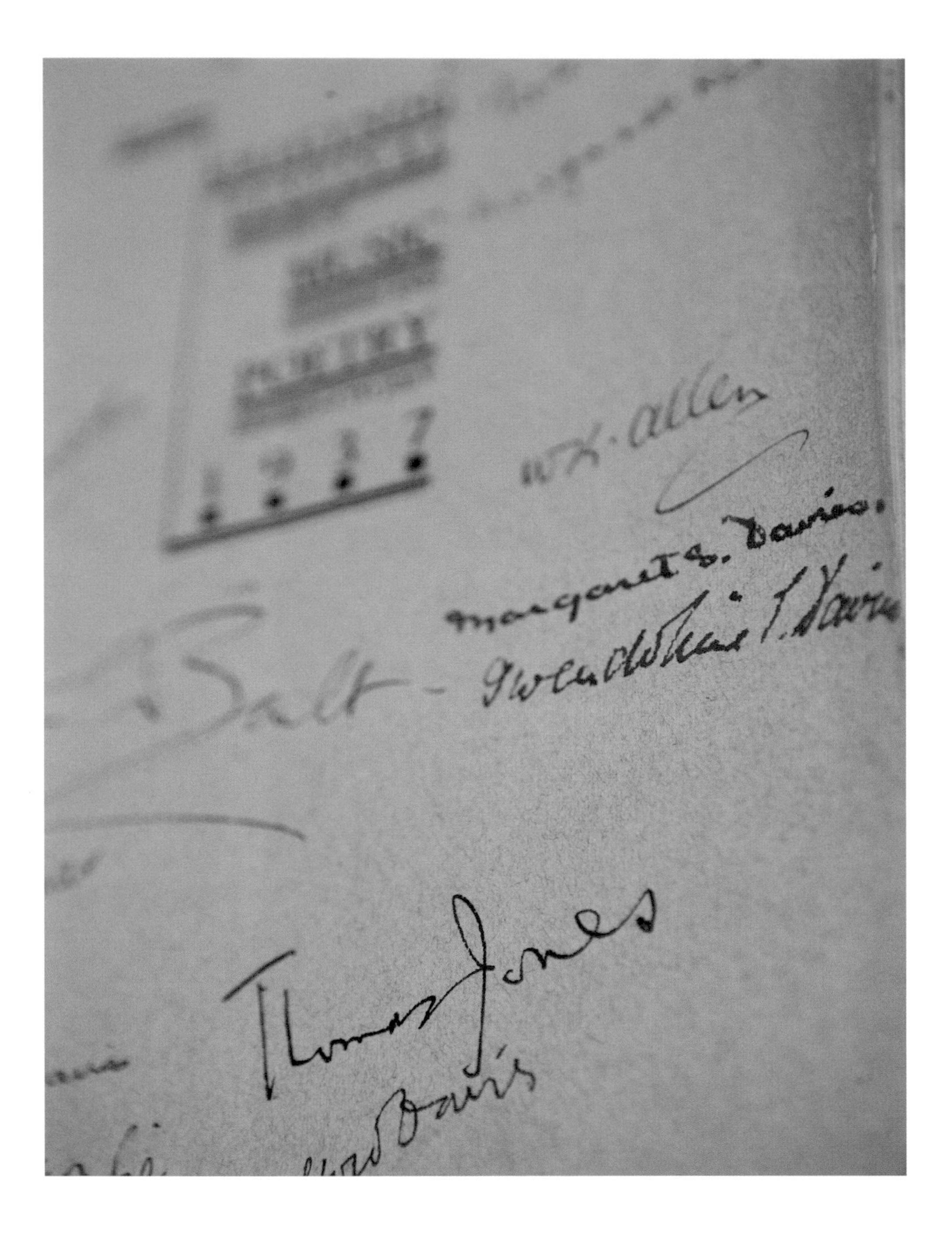

W.H. Allen
Margaret S. Davies.
Salt
Thomas Jones

Gelf a Chrefft yng Ngholeg Prifysgol Cymru, Aberystwyth.

Haberly, Loyd
(1896-1981): bardd ac argraffydd; trydydd Reolwr Gwasg Gregynog.

Hermes, Gertrude
(1901-1983): cerflunydd a gwneuthurwr printiau; ysgythrwr pren yng Ngwasg Gregynog; gwraig Blair Hughes-Stanton.

Holst, Gustav
(1874-1934): cyfansoddwr; bu'n dysgu yn Ysgol Sant Paul, Hammersmith o 1905 ymlaen; daeth i ŵyl Gregynog ym 1933, ac yna ysgrifennodd *O Spiritual Pilgrim* ar gyfer Côr Gregynog.

Hughes-Stanton, Blair
(1902-1981): ysgythrwr pren a dylunydd rhwymiadau; cydweithiwr i William McCance yng Ngwasg Gregynog; gŵr Gertrude Hermes.

Jenkins, William
(?-1929): rheolwr cyffredinol cyntaf glofeydd Ocean.

Jones, Dora Herbert
(1890-1974, Rowlands gynt): ysgrifenyddes Gwasg Gregynog; arloeswr byd cerddoriaeth werin Gymreig; cyfaill mynwesol y chwiorydd.

Jones, Thomas
(1870-1955) neu 'T.J.': gwas sifil ac addysgwr; Dirprwy Ysgrifennydd y Cabinet, 1916-30; cadeirydd Bwrdd Gwasg Gregynog; sefydlydd Coleg Harlech; ysgrifennydd y Pilgrim Trust; cynghorydd a chyfaill mynwesol Gwendoline a Margaret Davies.

Maynard, Robert Ashwin
(1888-1966): artist; Rheolwr cyntaf Gwasg Gregynog.

McCance, William
(1894-1970): artist; ail Reolwr Gwasg Gregynog; gŵr Agnes Miller Parker.

Parker, Agnes Miller
(1895-1980): ysgythrwr pren yng Ngwasg Gregynog; gwraig William McCance.

Parrott, yr Athro Ian
(g.1916), cyfansoddwr, athro, awdur; Athro Cerddoriaeth Gregynog, Coleg Prifysgol Cymru, Aberystwyth 1954-83; trefnydd Gŵyl Gregynog 1955-61, awdur *The Spiritual Pilgrims*, sy'n portreadu bywydau cerddorol y chwiorydd Davies.

Steegman, John Edward Horatio
(1899-1966): beirniad celf a drama; curadur yr Oriel Bortreadau Genedlaethol yn Llundain 1926-45; ceidwad Celf Amgueddfa Genedlaethol Cymru, 1945-52, cyfarwyddwr Amgueddfa'r Celfyddydau Cain, Montreal, 1952-9.

Thomson, David Croal
(1855-1930): masnachwr celf; roedd yn edmygu Corot a Whistler ac yn cynghori Gwendoline a Margaret pan fyddent yn prynu darnau celf.

Urquhart, Murray
(1882-1972): arlunydd; cyfaill a chynghorydd celfyddydol Gwendoline a Margaret.

Wardrop, James
(1905-1957): argraffydd; pedwerydd Reolwr Gwasg Gregynog a'r olaf, roedd ar staff Llyfrgell Gelf Genedlaethol Amgueddfa Victoria ac Albert yr un pryd.

Chwith: Rhaglen Gŵyl Gregynog ym 1937 â llofnodion Gwendoline a Margaret, Thomas Jones, Syr Walford Davies, Syr Adrian Boult ac eraill. *Ray Edgar*

CYFLWYNIAD:
BYD Y TEULU DAVIES

Yn ôl eu cyfaill Eirene White, roedd y chwiorydd Margaret a Gwendoline Davies yn byw 'dau fywyd tawel', ond roedd Cymru eu hoes yn wlad o dan straen a phwysau mawr. Roedd cyfalafiaeth Gymreig – byd yr oedd y teulu Davies yn rhan hanfodol ohono – yn agosáu at argyfwng mewn cysylltiadau diwydiannol ym 1910, er bod porthladd y teulu yn y Barri ar fin disodli Caerdydd fel y porthladd oedd yn allforio mwy o lo nag unrhyw borthladd arall yn y byd ym 1913. Roedd Anghydffurfiaeth Gymreig – byd arall yr oedd y teulu Davies ymhlith ei gynheiliaid – wedi'i droi â'i draed i fyny yn Niwygiad 1904-05. I bob golwg, roedd Rhyddfrydiaeth Gymreig wedi cyrraedd ei hanterth ar ôl etholiad 1906, yn enwedig pan oedd Lloyd George yn Brif Weinidog rhwng 1916 a 1922. Cafodd hoelion wyth y byd gwladgarol Cymreig – byd yr oedd gan y teulu Davies gysylltiadau ag ef trwy berthnasau a ffrindiau – lwyddiant mawr yn y cyfnod hwn, gan greu nifer o sefydliadau cenedlaethol, yn eu plith yr Amgueddfa Genedlaethol a'r Llyfrgell Genedlaethol, y ddau ohonynt wedi'u sefydlu ym 1907. Er bod aelodau'r cylch yr oeddent yn troi ynddo'n coleddu gwerthoedd moesol caeth Oes Fictoria, mae'n drawiadol bod gan lawer o wladgarwyr Cymru'r oes, fel y chwiorydd Davies eu hunain, dueddiadau esthetig cryf.

Roedd yr holl elfennau hyn – masnach, crefydd, gwleidyddiaeth, gwladgarwch a hyd yn oed ychydig bach o estheteg – i'w gweld yn arweinwyr Cymru tua diwedd y bedwaredd ganrif ar bymtheg, ond mae haneswyr yn gweld newid bychan ym mhob cenhedlaeth. Roedd taid Gwendoline a Margaret, y diwydiannwr enwog David Davies, Llandinam (1818-1890), yn Galfinydd caeth iawn (na fyddai byth yn agor llythyr ar y Sul, er enghraifft) ac, fel ei deulu i gyd, roedd yn llwyrymwrthodwr o arddeliad (yn y parti a drefnodd pan ddaeth ei fab, Edward, i oed ym 1873, agorwyd deuddeng mil o boteli lemonêd i yfed y llwncdestun). Roedd cysylltiad agos rhwng y chwiorydd Davies, trwy eu mam, eu llysfam a'u nain, â theulu John Jones, Talysarn (1797-1855), pregethwr enwocaf ei gyfnod, arweinydd Calfinaidd a datblygwr llwyddiannus chwarel lechi Dorothea yn Sir Gaernarfon. Un o ferched John Jones, Talysarn oedd mam George M. Ll. Davies, heddychwr ac Aelod Seneddol Prifysgol Cymru ac yna warden canolfan weithwyr Maes-yr-haf, a J. Glyn Davies, a greodd gnewyllyn y Llyfrgell Genedlaethol yn y coleg yn Aberystwyth. Bu ffrae danllyd rhwng J. Glyn Davies a John Humphreys Davies (a aeth ymlaen i ddod yn Brifathro ar Goleg y Brifysgol Aberystwyth er bod teulu Llandinam yn

De: Neuadd Gregynog, y plasty yn Sir Faldwyn a brynodd Margaret a Gwendoline ym mis Gorffennaf 1920 i'w ddefnyddio fel canolfan gelf a chrefft ac fel lle i gynnal cynadleddau. Daeth yn gartref iddynt ym 1924.

gwrthwynebu'r penodiad ac o blaid Thomas Jones). Roedd John Humphreys Davies yn ddisgynnydd i'r arweinwyr Methodistaidd David Charles (brawd Thomas Charles o'r Bala) a Lewis Edwards (Prifathro Coleg y Bala a thad Thomas Charles Edwards, Prifathro cyntaf Coleg y Brifysgol Aberystwyth), a hefyd i'r aderyn drycin Fethodistaidd, Peter Williams. Roedd y teulu'n perthyn trwy briodas i deulu cydweithiwr Thomas Charles Edwards, Thomas Jones o Ddinbych, un o gyndadau Syr Herbert Lewis AS, cyfaill agos i T. E. Ellis AS (brawd yng nghyfraith John Humphreys Davies) a fu'n ymgyrchu am flynyddoedd dros sefydlu Amgueddfa a Llyfrgell Genedlaethol ar y cyd. Roedd Dora Herbert Jones wedi bod yn ysgrifenyddes i Syr Herbert Lewis a daeth yn gyfaill agos i Gwendoline a Margaret yn ystod y Rhyfel Mawr ac yn ysgrifenyddes iddynt am flynyddoedd. Dywedodd Gwendoline wrth Dora y bu disgwyl iddi fynd i'r capel bob noson o'r wythnos ond un fel merch ifanc, yn unol â thraddodiad y teulu.

Rhaid peidio â gorbwysleisio'r cysylltiadau teuluol hyn, ond deuai llawer o arweinwyr diwedd y bedwaredd ganrif ar bymtheg o gefndir crefyddol. Dau â'u bryd ar y weinidogaeth yn wreiddiol oedd Syr John Williams, meddyg y Frenhines Fictoria a llyfrgarwr o'r llyfrgarwyr, a fu â rhan allweddol yn y penderfyniad i adeiladu'r Llyfrgell Genedlaethol yn Aberystwyth, a Syr Owen M. Edwards. Meibion gweinidog gyda'r Annibynwyr yn Abertawe oedd Syr David Brynmor Jones a'r Prifathro Viriamu Jones, oedd yn gefnogwyr pybyr i sefydliadau cenedlaethol Cymreig fel yr Amgueddfa a'r Brifysgol. Gadael Rhymni am Aberystwyth gyda'r bwriad o fynd yn weinidog gyda'r Hen Gorff wnaeth Dr Thomas Jones CH (1870-1955), a gafodd y dylanwad mwyaf oll ar Gwendoline a Margaret Davies. Trwy ei gyfaill agos Richard Jones, gweinidog y Methodistiaid Calfinaidd yn Llandinam, y cafodd Thomas Jones ei gyflwyno i gylch y Daviesiaid a thrwyddynt hwy i Lloyd George. Er mai dyn hollol seciwlar oedd George, deuai o gefndir anghydffurfiol Bedyddwyr Campbell. Roedd gan Thomas Henry Thomas 'Arlunydd Pen-y-garn', ran bwysig yn y gwaith o ad-drefnu Gorsedd y Beirdd ac roedd yn lladmerydd grymus dros sefydlu'r Amgueddfa Genedlaethol yng Nghaerdydd. Roedd yn fab i Brifathro Coleg y Bedyddwyr ym Mhont-y-pŵl, Alfred Thomas AS (Arglwydd Pontypridd wedyn), oedd yn gefnogwr brwd i'r Amgueddfa Genedlaethol. Roedd yn un o Fedyddwyr Caerdydd a gadawodd rodd hael i sefydlu oriel gelf yn y ddinas. O gefndir Undodaidd y deuai James Pyke Thompson o Benarth. Bu ei gasgliad yn gnewyllyn i adran gelf yr Amgueddfa Genedlaethol newydd ac adeiladodd Oriel Tŷ Turner ym Mhenarth. Roedd Saunders Lewis, un o sefydlwyr Plaid Genedlaethol Cymru ym 1925, yn ŵyr i Dr Owen Thomas, Lerpwl, awdur cofiant nodedig John Jones, Tal-y-sarn.

Roedd David Davies, Llandinam a'i deulu yn siarad Cymraeg ond roedd ef yn adnabyddus am rybuddio'i gydwladwyr y byddai'n rhaid iddynt ddysgu Saesneg er mwyn dod ymlaen yn y byd. Roedd hyn yn adlewyrchu beirniadaeth y tri Chomisiynydd ar addysg yng Nghymru ar y Cymry yn y Llyfrau Gleision ym 1847. Yn ogystal â'i fusnesau a'i gapel, roedd David Davies yn ymddiddori'n fawr mewn cynnydd addysgol. Gŵyr llawer yr hanes am Syr Hugh Owen, gwas sifil a thechnocrat, yn teithio Cymru'n gofyn i weithwyr a chapeli lu gyfrannu arian i sefydlu Coleg Prifysgol Cymru yn Aberystwyth ym 1872. Ond cyfraniadau Davies at sefydlu'r coleg oedd y mwyaf o bell ffordd. Hwn oedd y sefydliad cenedlaethol cyntaf i'r teulu Davies ei noddi a bu iddynt gymryd diddordeb brwd ynddo – fel pe baent yn berchen arno bron – am ddegawdau lawer. Roedd hyn yn arwydd o newid diwylliannol mawr yn ail hanner y bedwaredd ganrif ar bymtheg, o'r foeseg waith Brotestannaidd i gydwybod gymdeithasol ac addysgol a gweithredu gwleidyddol. Daeth David Davies yn Aelod Seneddol dros Geredigion ym 1874, gan ymgyrchu mewn wagonét a dynnid gan bedwar ceffyl a chanddo ddau ragfarchog. Er mai nod David Davies, Llandinam a'i gymdeithion oedd datblygu dosbarth canol defnyddiol oedd yn siarad Saesneg, roedd llawer o'r myfyrwyr cynnar, fel y rhai a aeth ymlaen i fod yn Syr John Edward Lloyd, Syr Owen M. Edwards a T. E. Ellis AS, yn edrych ar y coleg fel sefydliad cenedlaethol Cymreig a phatrwm ar gyfer llawer o rai eraill. Trosglwyddwyd y brwdfrydedd hwn i genhedlaeth iau o fyfyrwyr, fel Thomas Jones, a aeth yn fyfyriwr yn Aberystwyth ym 1890.

Effeithiodd beirniadaethau'r Llyfrau Gleision ym 1847 ar bobl mewn gwahanol ffyrdd. Roedd awydd cryf ymhlith llawer o Gymry Oes Fictoria i ddysgu Saesneg roedd eraill yn teimlo cywilydd nad oedd gan Gymru ei sefydliadau cenedlaethol ei hunan. Aeth y teuluoedd y soniwyd amdanynt, llawer ohonynt yn berthnasau a chyfeillion i'r teulu Davies, ati i ddatblygu sefydliadau Cymreig yn nhraean olaf y bedwaredd ganrif ar bymtheg. Roedd y teulu Davies yn aelodau o'r Hen Gorff, Cyfundeb y Methodistiaid Calfinaidd a oedd wedi gwahanu oddi wrth yr Anglicaniaid ym 1811 ac wedi datblygu'n sefydliad cenedlaethol grymus. Roedd gan y Bedyddwyr a'r Annibynwyr eu hundebau cenedlaethol eu hunain. Cynigiwyd mewn nifer o wahanol gyfarfodydd yn y 1850au a'r 1860au y dylid sefydlu amgueddfa a llyfrgell genedlaethol ar y cyd. Roedd gan y Cymry lwyfan effeithiol i drafod materion y genedl yn yr Eisteddfodau Cenedlaethol a gynhaliwyd rhwng 1858 a 1868, ac er mai ychydig o gynnydd a wnaed, o leiaf roedd y syniadau'n cael eu trafod. Ailsefydlwyd Cymdeithas Anrhydeddus y Cymmrodorion yn Llundain ym 1873, llwyfan i drafod materion Cymreig yn Llundain. Roedd llawer o'r Aelodau Seneddol a etholwyd ar ôl 1868 yn fwy hunanymwybodol o Gymreig na'r genhedlaeth o'u blaen. Yn hyn o beth, roeddent yn ymwybodol eu bod yn adlewyrchu diddordeb cynyddol eu hetholwyr mewn Cymreictod ac Anghydffurfiaeth. Ar lefel wahanol, sefydlwyd Cymdeithas Bêl-droed Cymru ym 1876 ac Undeb Rygbi Cymru ym 1880; ffurfiodd criw o artistiaid yr Academi Frenhinol Gymreig ym 1882, agorwyd colegau Prifysgol yng Nghaerdydd ym 1882 ac ym Mangor ym 1884, ymddangosodd Cymdeithas yr Iaith Gymraeg ym 1885, a mudiad Cymru Fydd â rhaglen o blaid hunanlywodraeth i Gymru ym 1886. Ym 1888, ffurfiwyd Cymdeithas Gerddorol Genedlaethol Cymru a gosodwyd Gorsedd y Beirdd ar sylfaen gadarn. Sefydlwyd system ar wahân o ysgolion uwchradd yng Nghymru ym 1889. Methodd ymdrechion gwleidyddion Rhyddfrydol fel T. E. Ellis, Alfred Thomas a Herbert Lewis i ddod â chynghorau sir newydd Cymru ynghyd mewn rhyw fath o gyngor cenedlaethol ym 1892, a daeth mudiad Cymru Fydd i ben tua 1896. Fodd bynnag, roedd digon o bwysau o Gymru i gysylltu colegau Aberystwyth, Bangor a Chaerdydd yn Brifysgol ffederal ar gyfer Cymru ym 1893. Parhaodd y datganoli addysgol i Gymru pan sefydlwyd Bwrdd Canolog Cymru (ar gyfer arholiadau) ym 1896. Yn yr un flwyddyn, cafwyd adroddiad y Comisiwn Brenhinol ar Dir yng Nghymru.

Rhyddfrydwyr oedd mwyafrif mawr Aelodau Seneddol Cymru a chawsant eu hunain yn wrth-blaid rhwng 1895 a 1905. Aethant ati'n frwd i hyrwyddo achosion Cymreig fel datgysylltu a dadwaddoli'r Eglwys Anglicanaidd yng Nghymru a sefydlu amgueddfa a llyfrgell genedlaethol wedi'u hariannu gan y wladwriaeth. Ffurfiwyd nifer o gyrff amaethyddol yng Nghymru yn ystod y cyfnod hwn a'r mwyaf o'r rhain oedd Cymdeithas Amaethyddol Frenhinol Cymru ym 1904 – cymdeithas y byddai'r ail David Davies (yr Arglwydd Davies) yn chwarae rhan eithriadol o bwysig ynddi. Daeth y Llywodraeth o dan bwysau mawr oddi wrth holl gyrff cyhoeddus Cymru a newid eu trywydd ym 1903. Arweiniodd hyn at y gwahanol drafodaethau a arweiniodd at ffurfio dau sefydliad ym 1907 – y Llyfrgell Genedlaethol yn Aberystwyth a'r Amgueddfa Genedlaethol yng Nghaerdydd. Erbyn hynny, roedd y Rhyddfrydwyr yn ôl mewn grym, a chafodd Cymru ei hadran ei hunan ar y Bwrdd Addysg. Yna, ym 1908, ffurfiwyd Comisiwn Brenhinol Henebion Cymru. Sefydlwyd Cyngor Amaethyddiaeth Cymru ym 1912 a Chomisiwn Yswiriant Iechyd Gwladol ar wahân i Gymru ym 1913, gan arwain at ffurfio Bwrdd Iechyd Cymru ym 1919. Roedd y broses o ddatgysylltu'r Eglwys fel pe bai'n ddiddiwedd ond daeth yn ddeddf ym 1914.

Does bosib nad yw'r rhestr yna'n ddigon i ddangos bod y genhedlaeth a aned yn negawdau canol y bedwaredd ganrif ar bymtheg wedi dechrau meddwl am welliannau cymdeithasol a sefydliadau cenedlaethol seciwlar o'r 1870au ymlaen, er eu bod yn aml yn dod o gefndir crefyddol. Yn ogystal, gwelwyd cyfnod o gynnydd economaidd enfawr a ffyniant ariannol hyd at y Rhyfel Byd Cyntaf a'r tu hwnt. Roedd hefyd yn gyfnod o seciwlareiddio cynyddol ymhlith y dosbarth gwaith. Roeddent yn ymuno ag undebau yn eu lluoedd yn y 1890au – sefydlwyd Ffederasiwn Glowyr De Cymru ym 1898 – ac yn dod yn fwyfwy milwriaethus gyda hynny. Mae'n bosib i hyn greu teimlad o euogrwydd ac anniddigrwydd mewn nifer o deuluoedd cyfalafol wrth feddwl o ble y daeth y cyfoeth a etifeddwyd ganddynt. Roedd y teulu Davies yn enwog am eu cydwybod gymdeithasol gref. Hyd yn oed cyn i'r chwiorydd ddechrau casglu darluniau ym 1908, roeddent wedi rhoi rhoddion i'r coleg yn Aberystwyth, a'r fwyaf nodedig o'r rheiny oedd yr adran Gemeg, sef Adeilad Edward Davies a godwyd ym 1907 yn y Buarth uwchlaw'r dref. Bu farw'r Brenin Edward VII ym 1910 ac aeth David Davies yr ieuaf ati ar unwaith i sefydlu Cymdeithas Goffa Genedlaethol Gymreig y Brenin Edward VII i geisio dileu twbercwlosis, oedd yn bla yng nghefn gwlad Cymru. Penodwyd Thomas Jones (a oedd yn athro ifanc ym Melffast) yn ysgrifennydd y Gymdeithas, ac fe gyfrannodd y teulu Davies yn hael at adeiladu sanatoria ledled Cymru a chanolfan ymchwil feddygol yng Nghaerdydd, a gwaddoli cadair twbercwlosis yn Ysgol Feddygaeth Cymru ym 1912. Bu hyn yn batrwm ar gyfer dyngarwch y teulu am weddill eu hoes; buont yn ariannu gwersylloedd haf i blant yn Nhrebefered (nid nepell o'u porthladd yn y Barri), cartref gwyliau ar gyfer merched sâl yn Llwyngwril ar arfordir Meirionnydd, a hyd yn oed ryw fath o elusendy yn Folkstone. Buont yn cyfrannu'n hael at Goleg y Brifysgol yn Aberystwyth hefyd, er enghraifft at yr Amgueddfa Gelf a Chrefft a sefydlwyd ym 1918 (bu David Davies yn Llywydd y coleg o 1926 ymlaen), y Llyfrgell Genedlaethol (bu'n Llywydd o 1927) a'r Amgueddfa Genedlaethol.

Yn yr un modd ag yr ildiodd cyfalafiaeth Saisgarol i ymwybyddiaeth o Gymreictod a chydwybod gymdeithasol, dechreuodd Piwritaniaeth gul ildio, yn gyndyn, i estheteg. Er na ddylid byth addoli delwau cerfiedig, efallai y gellid eu goddef pe baent ar eu ffordd i oriel genedlaethol. Dymuniad T. E. Ellis, a ysbrydolodd lawer o'r genhedlaeth iau ac y cafodd yntau ei ysbrydoli gan Ruskin a William Morris yn Rhydychen, oedd meithrin cariad newydd at harddwch ymhlith y Cymry. Ymdrechodd Owen M. Edwards dro ar ôl tro i feithrin ymwybyddiaeth artistig ymhlith gwerin Cymru trwy gynnwys darluniau yma a thraw yn ei lyfrau a'i gylchgronau. Roedd Syr John Williams yn prynu llawer o ddarluniau a phrintiau ac yn casglu llawysgrifau hynafol a llyfrau. Roedd gan Syr Herbert Lewis synnwyr artistig cryf ac aeth ef a'i wraig ati i helpu i sefydlu Cymdeithas Alawon Gwerin Cymru ym 1906 – dyna sut y daeth ei ysgrifenyddes Dora Herbert Jones mor hoff o alawon gwerin. Roedd trydydd Ardalydd Bute, oedd yn gyfoethocach o lawer na'r Daviesiaid, yn frwd dros adnewyddu hen gestyll fel Castell Caerdydd a Chastell Coch mewn ffordd foethus. Gwariodd Richard Glynn Vivian ei ran ef o ffortiwn gopr y Vivianiaid ar gasglu darluniau ac ar yr oriel yn Abertawe sy'n dal i ddwyn ei enw. Bu teulu Coombe-Tennant, diwydianwyr o Langatwg, Castell-nedd, yn noddi artistiaid o Gymru fel Evan Walters. Daeth T. H. Thomas 'Arlunydd Pen-y-garn', yr artist Hubert Herkomer ac eraill ynghyd tua 1890 i gynyddu pasiantri Gorsedd y Beirdd, er mwyn gwneud yr Eisteddfod Genedlaethol yn fwy effeithiol yn weledol. Yn ei lyfr *Y Gymru Ddiwydiannol*, mae gan Peter Lord lawer o enghreifftiau eraill o'r cysylltiad rhwng celfyddyd a diwydiant ac yn *Delweddu'r Genedl* mae'n sôn am y cynnydd mewn ymwybyddiaeth artistig yng Nghymru o 1880 ymlaen.

Y farn gyffredinol yw bod y Rhyfel Byd Cyntaf wedi cael effaith ddifrifol ar fywyd Cymru. Roedd optimistiaeth y gymdeithas Edwardaidd, ei chrefydd a'i chred mewn cynnydd materol wedi darfod; byrhoedlog oedd ffyniant y diwydiant glo ar ôl y rhyfel a buan iawn y daeth streiciau a dirwasgiad. Ni fu agwedd y teulu Davies yn Oes Fictoria yn hollol blwyfol oherwydd roeddent yn masnachu â gwledydd ym mhedwar ban byd ac yn cyfrannu at genadaethau'r Methodistiaid

Calfinaidd yn yr Himalayas. Ond, yn sgil y Rhyfel Mawr a'r argyfyngau economaidd, daeth y Cymry i sylweddoli mwy nag erioed bod eu tynged hwy yn gysylltiedig â thynged gwledydd eraill. Bu ffrae rhwng David Davies a Lloyd George, ond parhaodd yn Aelod Seneddol Rhyddfrydol hyd at 1929. Daeth Cytundeb Versailles a heddwch rhyngwladol yn obsesiwn iddo. Ym 1922, helpodd i sefydlu cangen Gymreig o Undeb Cynghrair y Cenhedloedd, ac ym 1936-8 talodd am adeiladu'r Deml Heddwch yng Nghaerdydd yn bencadlys iddo. Roedd llawer o'r cynadleddau a gynhaliodd y ddwy chwaer yng Ngregynog yn ymwneud ag achosion heddwch rhyngwladol oedd yn agos at galon eu brawd. Cafodd y chwiorydd a'u ffrindiau, fel Thomas Jones, eu hunain yn ymbalfalu'n ddiymadferth yn y 1920au a'r 1930au, gan geisio canfod atebion i'r argyfwng oedd fel pe bai'n taro'r ardaloedd y cawsent eu cyfoeth ohonynt (fel cwm Rhondda) yn waeth nag ardaloedd eraill. Dyna pam y cynhaliwyd llu o gyfarfodydd i geisio datrys problemau'r 'Ardaloedd Dirwasgedig', gyda chymorth cyrff fel Cyngor Gwasanaeth Cymdeithasol Cymru. Roedd y Cyngor Cerddoriaeth Cenedlaethol (oedd yn cael ei redeg gan Brifysgol Cymru), ac a sefydlwyd i raddau helaeth gan Gwendoline a Margaret a'u ffrind Syr Walford Davies gyda'r nod o gyflwyno cerddoriaeth i'r bobl, yn cyfrif Gregynog fel ei bencadlys. Gwnaeth waith gwirioneddol arwrol wrth greu dosbarthiadau, grwpiau siambr a gwyliau yma a thraw yn y cymoedd diwydiannol yn ystod dyddiau diflas y dirwasgiad. Bu symudwyr dodrefn y Cyngor yn cludo cant a hanner o bianos o gyngherddau i ddosbarthiadau ledled y cymoedd yn y 1930au.

Ym 1944, colled aruthrol i'r chwiorydd oedd marw'u brawd David, ac yn fuan wedyn, ei fab Michael yn y rhyfel. Bu farw Gwendoline ym 1951 a Margaret ym 1963. Gadawyd Gregynog i Brifysgol Cymru ym 1960 i fod yn ganolfan gynadledda. Aeth rhai o'r lluniau i Goleg Prifysgol Cymru yn Aberystwyth, eraill i'r Llyfrgell Genedlaethol a'r rhan fwyaf i'r Amgueddfa Genedlaethol yng Nghaerdydd. Roedd y camau olaf hyn yn hollol briodol. Roedd marc y teulu Davies a'u dosbarth ar y sefydliadau cenedlaethol hyn. Ond ni fynnai'r chwiorydd enwogrwydd personol. Roedd Thomas Jones yn cofio sgwrs gyda Mrs Stanley Baldwin ym 1932, pan yr esboniodd wrthi, er mawr syndod iddi, mai llugoer oedd ymateb y chwiorydd i'r newyddion bod eu brawd wedi'i wneud yn Arglwydd Davies: byddai'n well ganddynt hwy pe bai'n dal yn ddim ond David Davies. Ni allai Mrs Baldwin ddeall yr esboniad mai 'democratiaeth ac anhysbysrwydd' oedd egwyddorion y chwiorydd. Byd o ymdrechion moesol mawr, dyngarwch ac anhunanoldeb oedd byd y teulu Davies, eu cyfeillion a'u teulu ymhlith bonedd Anghydffurfiol Cymreig diwedd Oes Fictoria ac Oes Edward. Roedd arnynt hiraeth dwys am harddwch ac am greu sefydliadau cenedlaethol ar gyfer y Cymry. Diflannodd byd y Daviesiaid ond mae eu treftadaeth yn parhau hyd heddiw.

De: Pierre-Auguste Renoir, *La Parisienne*, darlun enwocaf y casgliad Davies yn yr Amgueddfa ac un o weithiau allweddol yr Arddangosfa Argraffiadol Gyntaf ym 1874. Gwelodd Gwendoline y llun yn arddangosfa'r Gymdeithas Portreadau Genedlaethol yn Oriel Grosvenor, Llundain, ac fe'i prynodd am £5,000 ym mis Mawrth 1913.

A. Renoir. 74.

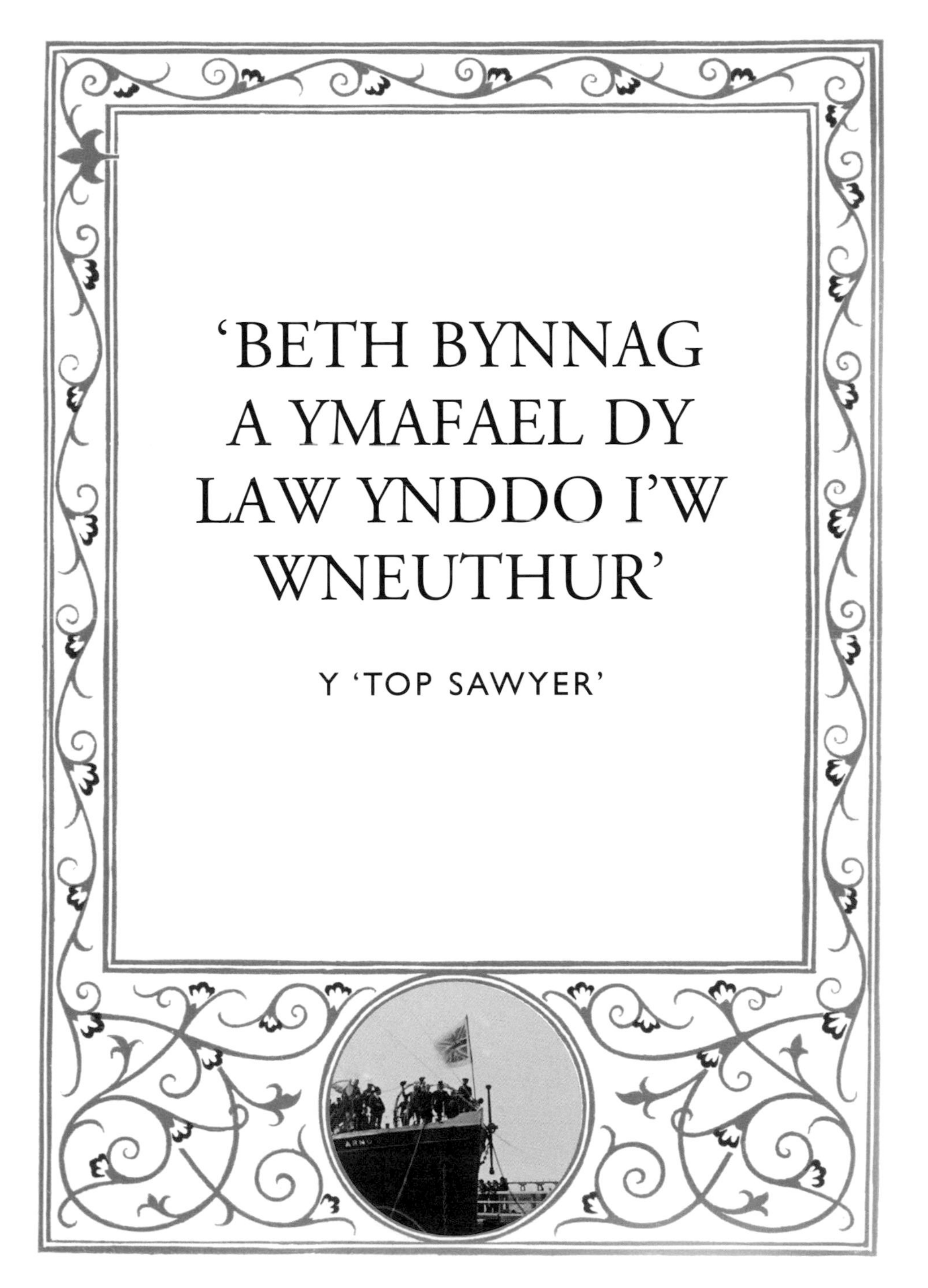

‘BETH BYNNAG A YMAFAEL DY LAW YNDDO I’W WNEUTHUR’

Y ‘TOP SAWYER’

DIOLCH I'W TAID nodedig, David Davies, roedd Gwendoline a Margaret Davies yn cael eu cyfrif ymhlith menywod cyfoethocaf Prydain pan oeddent yn ferched ifanc. Mab i denant fferm oedd David Davies. Fe'i magwyd ar dyddyn Draintewion ger Llandinam yn Sir Faldwyn, a phan oedd yn ifanc iawn dechreuodd ddangos dawn henffel a hollol naturiol fel syrfëwr meintiau a pheiriannydd sifil. Gallai ddweud bron yn syth faint o bren defnyddiol a ddeuai o goeden wedi'i chwympo neu faint o amser a gymerai i godi arglawdd. Daeth yn gontractwr pontydd ffyrdd a rhan sylweddol o system reilffyrdd y canolbarth, yn arloeswr yn y diwydiant glo yn y de ac yn brif ysgogwr y gwaith o adeiladu doc y Barri. Roedd yn Fethodist Calfinaidd rhonc ac, o ganlyniad i hynny, yn llwyrymwrthodwr ac yn credu'n gryf mewn cadw'r Saboth. Ei grefydd a roddodd iddo'i ddyngarwch a'i awch i wasanaethu ei gyd-ddyn hefyd; cyfrannodd yn hael at achosion crefyddol ac addysgiadol (yn enwedig Coleg y Brifysgol yn Aberystwyth oedd newydd ei sefydlu), bu'n Aelod Seneddol dros Fwrdeistrefi Aberteifi yn y blynyddoedd 1874-86 ac fe'i hetholwyd i Gyngor Sir cyntaf Maldwyn flwyddyn cyn ei farw.

Amlygwyd doniau David Davies fel peiriannydd sifil pan gododd argloddiau ar lannau Hafren i ddiogelu tiroedd Gwerneirin, Llandinam, lle'r oedd yn ffermio ar y pryd. Daeth yr argloddiau i sylw Thomas Penson, syrfëwr sirol Sir Faldwyn. Estynnodd Penson wahoddiad i Davies i gyflawni nifer o gontractau codi pontydd ar ffyrdd Sir Faldwyn. Un arall o'i gontractau cynnar oedd marchnad wartheg newydd yng Nghroesoswallt. Pan gyrhaeddodd oes y rheilffyrdd y canolbarth, buan iawn y dechreuodd Davies ddefnyddio'i ddoniau wrth godi'r rhwydwaith trafnidiaeth newydd. Ei reilffordd gyntaf oedd lein Llanidloes a'r Drenewydd, a agorwyd ym 1859. Tua dechrau'r 1860au, wrth godi Rheilffordd y Drenewydd a Machynlleth, roedd gwaith cloddio'r hafn fawr yn Nhalerddig yn gamp aruthrol – ar y pryd, hwn oedd yr hafn ddyfnaf yn y byd. Aeth ymlaen i weithio ar reilffyrdd eraill yng ngogledd a gorllewin Cymru (er i'w synnwyr busnes cadarn ei adael am gyfnod pan aeth i weithio ar y Reilffordd Manceinion a Milford – na chyrhaeddodd y naill le na'r llall).

Er bod gorchestion Davies fel adeiladwr rheilffyrdd yn nodedig, glo fyddai'n ganolog i gyfoeth rhyfeddol y teulu. Aeth â llawer o labrwyr y rheilffyrdd gydag ef o'r canolbarth i'r de ym 1864

Daw teitl y bennod o Lyfr y Pregethwr, pennod 9 adnod 10: 'Beth bynnag a ymafael dy law ynddo i'w wneuthur, gwna â'th holl egni'. Mae'r dyfyniad yn ymddangos ar fedd David Davies. Mae'r llun yn ei ddangos yn gorffwys am ennyd prin. *Casgliad preifat*

De, top: Dyma lle'r oedd Davies yn byw pan oedd yn blentyn, tyddyn Draintewion ar y llethrau fry uwchben Llandinam. Mae'r enw'n rhoi ryw syniad i ni o'r ffordd y bu'n rhaid i'r ffermwyr ymdrechu i gael goruchafiaeth dros fyd natur yn y lle hwn slawer dydd.

De, gwaelod: Contract cyhoeddus cyntaf Davies oedd adeiladu ategweithiau'r bont haearn hardd hon dros afon Hafren yn Llandinam a'r ffyrdd yn arwain ati ym 1846.

pan gafodd brydles ar 2,000 o erwau o dir mwynau yng nghwm Rhondda, a chyn pen dwy flynedd, roedd pyllau'r Maendy a'r Parc yn cynhyrchu glo. Yna, cymerodd 8,000 o erwau'n ychwanegol ar brydles, gan ymestyn tua'r gorllewin i flaenau cymoedd Garw ac Ogwr, ac yno agorodd pyllau Dâr, Eastern, Western a Garw rhwng 1870 a 1885. Ar ôl cael prydles ar ddarn arall o dir ger Pontypridd, agorodd pwll Lady Windsor yn Ynysybwl ym 1886. Tyfodd cymunedau newydd fel madarch o gwmpas y pyllau hyn â llawer o'r trigolion wedi symud o Sir Faldwyn. Hyd heddiw, mae llawer o bobl y canolbarth yn cadw mewn cysylltiad â pherthnasau pell sy'n byw 'yn y sowth'.

Roedd y glofeydd hyn yn eiddo i gwmni *The Ocean Coal Co. Ltd* a ffurfiwyd â chyfalaf o £800,000 mewn 8,000 o gyfranddaliadau canpunt ym 1887; roedd ychydig dros hanner y cyfranddaliadau hyn yn eiddo i David Davies a'i fab Edward. Roedd y cwmni'n cynhyrchu bron i ddwy filiwn o dunelli'r flwyddyn ym 1890, sy'n golygu mai ef oedd cynhyrchydd mwyaf maes

Uchod: Yr hafn enfawr hon trwy'r cefn deuddwr yn Nhalerddig ar Reilffordd y Drenewydd a Machynlleth oedd y dyfnaf yn y byd pan gafodd ei gwblhau ym 1862. Defnyddiwyd y cerrig a gloddiwyd i godi adeiladau a phontydd ymhellach i lawr y lein i gyfeiriad Machynlleth.

De, top: Glofa Lady Windsor yn Ynysybwl, a agorwyd ym 1886 ac a gaeodd ym mis Chwefror 1988.

De, gwaelod: Cyn-weithwyr oedd wedi ymddeol o lofeydd y Maendy a'r Eastern mewn aduniad ym mis Awst 1896. Mae'n debyg bod llawer o'r rhain yn gyn-labrwyr rheilffordd o'r canolbarth a ddilynodd David Davies i byllau glo'r de tua chanol y 1860au.

Trosodd: Glofa Maendy yn Nhonpentre yng nghwm Rhondda Fawr, pwll cyntaf David Davies yn y de.

VETERANS
AUGUST

Maindy Colliery, Ton Pentre.

OCEAN
OCEAN

glo'r de. Un arwydd o'r cynnydd ym mhwysigrwydd marchnadoedd tramor i lo ager y de oedd y ffaith mai cwmni Ocean oedd piau'r *Port Said & Suez Coal Co. Ltd* (oedd â chontract i gyflenwi glo i longau P&O) ac mai dyna'r unig gwmni oedd yn cyflenwi glo Cymreig i'r gadwyn o ganolfannau glo llongau yn ne America oedd yn eiddo i *Wilson, Sons & Co. Ltd*, a ddaeth yn rhan o gwmni Ocean yn nes ymlaen.

O ganlyniad i bwysigrwydd y marchnadoedd allforio, erbyn diwedd y 1870au, roedd Davies a nifer o berchnogion glofeydd o gwm Rhondda oedd wedi cael llond bol ar y ffaith bod rheilffordd y Taff Vale a dociau Bute yng Nghaerdydd yn llwyr reoli'r gwaith o symud glo o'u rhan hwy o'r maes glo. Roedd y lein a'r dociau'n orlawn ac roedd yn dod yn fwyfwy amlwg na allent ymdopi â'r cynnydd yn y drafnidiaeth. Ystyriodd Davies nifer o lwybrau posibl, gan gynnwys adeiladu doc newydd yn y lle a elwir yn Aberogwr erbyn hyn ond, yn y pen draw, penderfynodd adeiladu rheilffordd arall o'r maes glo i ddoc mawr newydd yn y Barri, oedd yn ddim ond pentref bychan ar y pryd. Er gwaethaf gwrthwynebiad ffyrnig yn y Senedd, pasiwyd Deddf Doc a Rheilffordd y Barri ym 1884, ac agorwyd y rheilffordd a'r doc newydd bum mlynedd yn ddiweddarach. Cyn pen pum mis ar ôl eu hagor, roedd dros filiwn o dunelli o lo

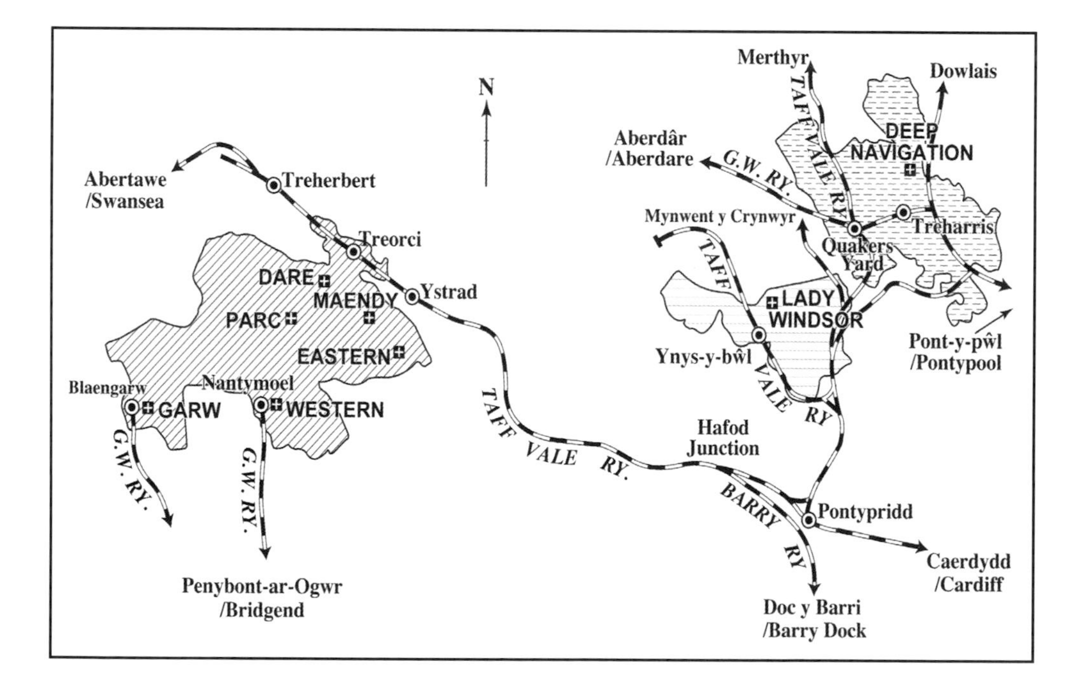

wedi'u hallforio ac roedd ffigurau allforio glo'r Barri ychydig yn uwch na rhai Caerdydd o hynny tan y cyrhaeddodd y diwydiant glo ei anterth ychydig cyn y Rhyfel Byd Cyntaf.

Yn raddol, daeth sgiliau a gorchestion entrepreneuraidd Davies i sylw rhyngwladol ac fe'i gwahoddwyd i fynd ar nifer o deithiau tramor maith i gynghori ar gynlluniau rheilffyrdd a pheirianneg sifil. Roedd yn bresennol pan agorwyd Camlas Suez ym 1869 ac, ar ôl hynny, roedd yn falch o gael ymweld â Phalesteina a gweld llawer o'r llefydd yr oedd wedi darllen amdanynt yn y Beibl. Yn ogystal, bu'n cynghori'r Tsar Alexander II ynghylch adeiladu system reilffyrdd Rwsia. Serch hynny, er ei fod wedi teithio'n eang ac wedi treulio llawer o amser yn gweithio yn y de ac yn Llundain, Llandinam oedd ei gartref; gwnâi ei orau i fod yno dros y Sul fel y gallai fynd i'r capel ac, ym 1864, cododd dŷ newydd braf, Broneirion, ar gyrion y pentref. Ugain mlynedd yn ddiweddarach, prynodd Blas Dinam i fod yn gartref i'w fab Edward. Mae'n rhyfedd meddwl mai cartref teulu bonheddig Crewe-Read, y bu Davies yn denant iddynt gynt, oedd hwn.

Roedd llwyddiant cwmni Ocean yn y blynyddoedd cyn 1890 yn deillio bron yn llwyr o egni a brwdfrydedd diflino David Davies; roedd elw crynswth y cwmni ym mlynyddoedd eithriadol

Chwith: Lleoliad glofeydd cwmni Ocean a'r rheilffyrdd oedd yn eu gwasanaethu ym 1895.

Uchod: Busnes byd-eang: storfa glo llongau Wilson, Sons & Co. yn Bahia, Brasil ym 1906. Daeth cwmni Wilson yn rhan o gwmni Ocean ddwy flynedd yn ddiweddarach.

lewyrchus 1890-91 ychydig dros £470,000 – a fyddai bron yn £36,000,000 heddiw. Roedd y cyfnod ar ôl marw Davies ar 20 Gorffennaf 1890 dipyn yn llai deinamig a, chyn hir, collodd Ocean ei safle fel prif gynhyrchydd glo Cymru i gwmni Powell Duffryn. Cafwyd ychwanegiad sylweddol at y cwmni ym 1893 pan brynwyd glofa Deep Navigation ger Treharris (roedd hwn yn 760 llath o ddyfnder, sef y pwll dyfnaf yn y de ar y pryd); fodd bynnag, syniad David Davies oedd ei brynu.

Roedd mab ac etifedd Davies, Edward, yn ddyn addfwyn, clyfar oedd â diddordeb dwfn mewn cemeg a rhai agweddau ar beirianneg fecanyddol. Yn ystod y 1870au, bu'n gohebu'n frwd dros gyfnod maith â chwmni *Sharp, Stewart & Co.* o Fanceinion, oedd yn gwneud locomotifs, ynghylch ei gynllun i wneud gwell chwistrellydd nwyon llosg ar gyfer locomotifs rheilffyrdd.

Chwith: Edward Davies (1852-1898), tad Gwendoline a Margaret.

Uchod: Y llong ager *Arno* yn torri'r rhuban yn agoriad swyddogol doc y Barri ar 18 Gorffennaf 1898.

Fodd bynnag, roedd cyfrifoldebau rhedeg yr ymerodraeth fusnes enfawr a greodd ei dad, yn enwedig adeiladu ail ddoc yn y Barri, yn faich annioddefol. Flynyddoedd yn ddiweddarach, mewn llythyr at Thomas Jones, ysgrifennodd Gwendoline mai straen a phwysau meddyliol y glofeydd a dociau'r Barri a laddodd ei thad. Bu farw ar ddydd Calan 1898, yn ddim ond 45 oed. Cyn diwedd y flwyddyn honno, agorwyd ail ddoc y Barri, oedd yn golygu bod y porthladd yn gallu cymryd ddwywaith gymaint o longau, ond achosodd gymaint o boen meddwl i Edward Davies.

Profwyd ewyllys Edward Davies ym mis Hydref 1898; roedd gwerth ei stad yn £1,206,311 gros. Rhannwyd y rhan fwyaf o'r stad rhwng ei dri phlentyn, er na chafodd y chwiorydd eu rhan hwy yn llwyr hyd nes eu bod yn 25 oed ym 1907 a 1909. Gadawyd rhyw £330,000 yr un iddynt, ar ffurf cyfranddaliadau cwmni Ocean yn bennaf. Bryd hynny, roedd maes glo'r de a'i gymunedau'n ffynnu. Byddai'r diwydiant yn cyrraedd ei anterth ym 1913, pan gynhyrchodd cwmni Ocean bron i 2.4 miliwn o dunelli o lo gan gyflogi dros 8,000 o bobl. Roedd cyfanswm cynnyrch maes glo'r de yn y flwyddyn honno bron yn 57 miliwn tunnell.

Ar ôl y Rhyfel Byd Cyntaf, trawsnewidiwyd gwead economaidd a chymdeithasol Cymru ac ni fu'r newid yn fwy amlwg yn unman nag yn niwydiannau glo a llongau'r de. Collwyd marchnadoedd De America, a fu'n bwysig gynt, i'r Unol Daleithiau a dechreuodd gwledydd Ewrop gymryd glo o'r Almaen o ganlyniad i'r trefniadau iawndal a fynnwyd gan Gytundeb Versailles. Roedd olew'n dod yn bwysicach fel tanwydd llongau, yn enwedig yn y Llynges Frenhinol, oedd gynt yn mynnu eu bod yn cael glo ager o Gymru.

Roedd y datblygiadau hyn yn siŵr o gael effaith ar gwmni Ocean, yn enwedig yn eithafoedd y Dirwasgiad yn dilyn Cwymp Wall Street ym 1929. Ym mis Mehefin 1931, ysgrifennodd Gwendoline at Thomas Jones gan ddweud pa mor boenus oedd ei brawd am y Dirwasgiad: '...ni all weld magïen o olau'. Wrth i'r sefyllfa economaidd ddifrifol barhau ac i nifer y di-waith godi, roedd Gwendoline yn mynd yn fwyfwy pryderus am y glowyr di-waith. Ar 20 Ionawr 1933, bu'n pwyso ar ei brawd i ofalu bod Thomas Evans, rheolwr gyfarwyddwr Ocean, yn caniatáu i lowyr di-waith fynd a dod fel y mynnent i domenni'r glofeydd i gasglu glo ar gyfer eu cartrefi. Ym mis Gorffennaf 1934, roedd yn pwyso ar Thomas Jones i ystyried sefydlu cwmni

De, top: Doc Rhif 1 y Barri ar drothwy'r Rhyfel Byd Cyntaf, pan oedd y fasnach lo ar ei hanterth. Yn rhan flaen y llun, ar y dde, fe welwch yr hyn sy'n ymddangos fel darn gwastad o dir: nid tir yw hwn mewn gwirionedd, ond dŵr y doc wedi'i orchuddio â haen drwchus o lysnafedd a llwch glo.

De, gwaelod: Un o fuddsoddiadau llai arferol y chwiorydd oedd cyfranddaliadau ym mhleserfadau Môr Hafren. Ym 1905, prynodd Barry Railway ddwy stemar olwyn newydd braf i redeg o'r pier teithwyr yn y Barri i geisio torri monopoli cwmni P. & A. Campbell ar wasanaethau cychod pleser yn yr ardal. Dyma un o'r llongau hynny, *Gwalia*, yn hwylio i lawr afon Avon.

BARGOED
BARGOED

cyfleustod cyhoeddus wedi'i ariannu ar y cyd gan y pwrs cyhoeddus a chan fusnesau preifat, ac ym mis Ionawr 1935 llediodd yn daer ar Jones unwaith eto. Mae ei chais yn nodedig gan ei bod o'r farn mai rhaglen Keynesaidd o weithiau cyhoeddus, tebyg i *New Deal* Roosevelt yn yr Unol Daleithiau, oedd yr ateb amlwg i broblemau economaidd yr oes:

> Gyhyd ag y bydd y di-waith yn dawel ac yn amyneddgar, ni fydd y llywodraeth hon yn gwneud dim – pa beth a wnaethant i roi gwaith am gyflog i'r llu mawr yn ystod y pum mlynedd diwethaf? TJ, chi yw'r dyn! Ewch at Baldwin, crefwch arno i wneud rhywbeth am y sefyllfa ar unwaith … mynnwch gymorth Lloyd George, cychwynnwch ymgyrch ledled y wlad! Morglawdd Hafren, Morglawdd y Wash, plannu coed, draenio, gweithfeydd dŵr, maent oll yn gynlluniau a fyddai'n lles i'r wlad yn y tymor hir … byddech yn cyflwyno'r rhaglen Sosialaidd, ond yn ddistaw, heb ysgytwad na chwyldro mawr.

Pwy fuasai'n meddwl y byddai gan wyres David Davies, y 'Top Sawyer', safbwynt mor radicalaidd?! Fodd bynnag, ar yr un pryd, roedd cwmni Ocean yn ceisio lleihau dylanwad Ffederasiwn Glowyr De Cymru a hyrwyddo'r *South Wales Miners' Industrial Union* (undeb y cwmni neu 'undeb y bradwyr'); ym mis Hydref 1935, cynhaliodd glowyr y Parc streic feddiannu am wyth niwrnod i brotestio am fod aelodau'r SWMIU yn cael eu cyflogi ym mhyllau Ocean.

Ni ddaeth diwedd y Dirwasgiad hyd nes bod Rhyfel Byd arall ar y trothwy ym 1939 ac, ar ôl y rhyfel, pan etholwyd llywodraeth Lafur a gafodd sêl bendith i wladoli gwahanol ddiwydiannau, collodd y teulu Davies reolaeth dros eu holl fuddiannau yn y diwydiant glo, y rheilffyrdd a'r dociau. Erbyn heddiw, mae holl byllau cwmni Ocean a'r rhan fwyaf o system *Barry Railway* wedi cau ac ychydig o waith sydd yn nociau'r Barri. Fodd bynnag, o ganlyniad i'w fuddiannau yn ne America, mae cwmni cysylltiedig o'r enw *Ocean Wilsons Holdings Ltd* yn dal i fasnachu. Mae wedi'i gofrestru yn Bermuda ac mae ei brif weithgareddau'n cynnwys gwasanaeth tynfadau, llongau cyflenwi ar y môr ar gyfer y diwydiant olew a gwasanaeth storio cynwysyddion ym Mrasil. Hyd yn oed pe na bai'r tyddynwr a'r 'Top Sawyer' yn nabod de Cymru heddiw, mae'n sicr y byddai'n falch o wybod bod cwmni sydd wedi deillio'n uniongyrchol o'i fenter wreiddiol ef yn dal i weithio ym meysydd cloddio am adnoddau ynni a rhedeg porthladdoedd, dau faes yr oedd ef yn gyfarwydd iawn â nhw.

De: Roedd gan yr *Ocean Coal Co. Ltd* agwedd flaengar at ei weithwyr, yn enwedig o ran darparu baddonau pen pwll. Yma gwelir y chwiorydd Davies (Margaret yw'r ail o'r chwith yn y rhes flaen ac mae Gwendoline yn y canol) yn agoriad swyddogol baddonau glofa Deep Navigation – y rhai cyntaf yn y de – ym 1916. Ar y chwith bellaf mewn het galed mae Thomas Evans, rheolwr gyfarwyddwr yr *Ocean Coal Co. Ltd.*

Campo Santo
Pisa.

But of all these beautiful buildings, I love the Campo Santo best, sheltered by the city wall, where in sweet seclusion sleep the ancient dead, in earth brought from the Land of Christ Himself. It is so like our peaceful English cloisters, with perfect Gothic arches, and delicate tracery, and here and there a glimpse of distant dome, or marble tower. The walls are covered with curious fres-coes, from the time when men had not lost their childlike faith in things divine. One of these naive parables of colour is the Last Judgment; by the Lorenzetti of Siena, or Orcagna; wherein the souls of men, dying, are born anew; leaving the parted lips, grown pale in death. Like little children they are borne away by angels to eternal bliss; or, snatched by hideous demons are dragged down to a hideous hell, where every loathsome vice is punished in its own fulfilment.

How curious, strange and horrible this mediæval conception of divine retribution, and how slowly it dies even in our more enlightened days! When will men truly learn that "God is a God of love, and by Him actions are weighed!"

Ancient sarcophagi, Grecian and Etrus-can vases, examples of the Art of ages long gone by, which inspired Andrea and Niccolò Pisano, now lie here with the dead.

‘PRYDFERTHWCH MAWR’

TEITHIO, CELF AC ADDYSG

MAE GWENDOLINE A Margaret Davies yn enwog am gasglu gweithiau celf. Defnyddiodd y chwiorydd yr arian a gawsant ar ôl eu tad, Edward, i ddatblygu casgliad rhyfeddol, a daethant yn enwog am gasglu darluniau'r Argraffiadwyr a'r Ôl-Argraffiadwyr. Prynwyd y rhan fwyaf o'r darluniau hyn rhwng 1912 a 1923. Mae hanesion am y chwiorydd a ysgrifennwyd tua diwedd y 1960au yn rhoi darlun o ddwy hen ferch encilgar oedd yn meddwl y byd o'i gilydd, yn Fethodistiaid Calfinaidd, yn llwyrymwrthodwyr ac yn credu'n gryf mewn cadw'r Saboth, yn byw mewn ardal wledig anghysbell yn Sir Faldwyn. Nid oeddent yn eich taro fel y math o bobl fyddai'n casglu gweithiau celf, a thybiwyd eu bod yn dibynnu ar gynghorwyr yn hytrach nag yn seilio'u dewis ar eu craffter a'u chwaeth nhw'u hunain.

Ers hynny, mae cofnodion teuluol am eu haddysg a'u teithiau wedi datgelu llawer am eu ffordd o fyw. Ymddengys erbyn hyn bod y chwiorydd yn ferched ifanc oedd wedi dysgu am hanes celf, wedi teithio'n helaeth yn Ewrop a'r tu hwnt ac a oedd yn gymeriadau annibynnol a phenderfynol, fel y dengys eu penderfyniad i fynd i wneud gwaith gwirfoddol yn Ffrainc yn ystod y Rhyfel Byd Cyntaf.

Pan oeddent yn blant, roedd y chwiorydd a'u brawd hŷn, David, yn byw yng nghartref y teulu, Plas Dinam, ond yn nes ymlaen aethant i dreulio mwy o amser yn fflat y teulu yn 3 Buckingham Gate, Llundain, ac fe'u hanfonwyd i ffwrdd i ysgol breswyl. Nid oedd hanes mawr o gasglu gweithiau celf yn nheulu'r Daviesiaid (er bod Ford Madox Brown wedi peintio'u taid a'u nain). Roedd y chwiorydd yn mwynhau marchogaeth ym Mhlas Dinam a chwarae tennis, Margaret yn enwedig. Roeddent yn gerddorol hefyd ac yn hoffi arlunio.

Mae nifer o'u dyddiaduron o'u teithiau gennym o hyd; Margaret ysgrifennodd y rhan fwyaf ohonynt a dim ond dau ddyddiadur anghyflawn sydd gennym o waith Gwendoline. Ysgrifennwyd un cyntaf Margaret ym 1897, pan oedd yn bymtheg oed ac mae'n sôn am daith i Lundain ar gyfer dathliadau Jiwbilî'r Frenhines Fictoria yn y Mehefin hwnnw. Mae'n bosib mai ar y daith hon i Lundain y cyflwynwyd y chwiorydd i fyd celfyddyd am y tro cyntaf. Ar 12 Mehefin, ysgrifennodd Margaret eu bod wedi mynd i Amgueddfa South Kensington lle gwelsant hen ddarluniau, llestri a cherfluniau. Mae hefyd yn sôn am arddangosfa gyda'r nos yn yr Orielau Newydd a'i hoffter o gerfluniau yn yr Amgueddfa Brydeinig. Ar 19 Mehefin, soniodd bod 'Miss Blaker' wedi cyrraedd i fynd â hi a'i chwaer i'r Academi Frenhinol. Yn aml, dywedir mai brawd Jane Blaker, Hugh, oedd 'pensaer' casgliad y chwiorydd o weithiau celf.

Daw teitl y bennod o ddyddiadur teithio Margaret o fis Mai 1909, lle mae'n disgrifio 'dinasoedd crand â phrydferthwch mawr...' Daw'r llun o un o ddyddiaduron teithio Gwendoline. *Casgliad preifat*

Mae'r dyddiadur yn un teimladwy. Mae Margaret yn cyfeirio'n annwyl at ei thad fel 'Daddy' ac yn sôn am grwydro Llundain gydag ef. Hanner blwyddyn yn ddiweddarach, ar ddydd Calan 1898, bu farw, yn ddim ond bump a deugain oed.

Cwblhawyd addysg y merched mewn ysgol breswyl breifat i ferched o'r enw Highfield yn Hendon, Middlesex. Mae llyfrau llofnodion y ddwy chwaer o'r ysgol gyda ni o hyd. Maent yn awgrymu bod Gwendoline yn yr ysgol rhwng 1899 a 1901 ac mai rhwng 1902 a 1903 yr oedd Margaret yno. Buont yn ffrindiau â rhai o'u cyd-ddisgyblion am flynyddoedd i ddod. Bu Evelyn a Bertha Herring, Elsie Gemmil a Dolly Dugdale ar deithiau gyda nhw yn y blynyddoedd wedyn, a daliodd Gwendoline ati i gadw ei llyfr llofnodion ôl gadael yr ysgol. Credir bod Margaret wedi bod yn fyfyrwraig allanol yn Ysgol Gelf Slade wedyn. Bu'n arlunwraig amatur gynhyrchiol gydol ei hoes.

Uchod: Gwendoline a Margaret Davies a'u hathrawes gartref Jane Blaker tua 1895. Yma, gwelir y chwiorydd yn eu harddegau cynnar gyda'u hathrawes gartref a gyflogwyd yn wreiddiol i ddysgu Ffrangeg iddynt. Daeth y ddwy chwaer yn rhugl yn yr iaith. Roedd Jane Blaker (1869-1947) yn chwaer i Hugh Blaker (1873-1936), artist, beirniad a chasglwr a ddaeth yn guradur Amgueddfa Holburne yng Nghaerfaddon ym 1905. Bu'n gweithredu ar ran y chwiorydd pan oeddent yn dechrau casglu ac, yn ddi-os, cafodd ddylanwad ar ddatblygiad chwaeth y chwiorydd. Arhosodd Jane Blaker gyda'r teulu ymhell ar ôl i'r merched ddod yn oedolion a daeth yn gydymaith i'w llysfam. *Casgliad preifat*

De: Gwendoline a Margaret Davies yn marchogaeth ym Mhlas Dinam tua 1896-7. Roedd Gwendoline a Margaret yn mwynhau marchogaeth ac fe'u gwelir yma y tu allan i fynedfa Plas Dinam. Credir bod hwn wedi'i dynnu tua'r pryd yr aeth y ddwy i Lundain am y tro cyntaf ym 1897, ychydig cyn i'w tad farw. Yn nes ymlaen yn ei bywyd, ysgrifennodd Gwendoline mai 'dim ond ar gefn ceffyl y gallwn deimlo fel fi fy hunan a bod yn "feistr ar fy enaid" yn y dyddiau hynny, a'r unig bryd nad oeddwn o fewn cyrraedd llygaid barcud fy annwyl Fam'.
Casgliad preifat

Dechreuodd y chwiorydd deithio llawer yn fuan ar ôl gadael Highfield. Nid oeddent bob amser yn teithio gyda'i gilydd ac, yn sicr, mae'n ymddangos eu bod yn fwy annibynnol ar ei gilydd yn ystod y cyfnod hwn. Aeth Gwendoline i'r Eidal ym 1902 tra oedd Margaret yn dal yn yr ysgol. Ym 1907, cafodd Gwendoline ei phen-blwydd yn 25 oed ac felly roedd ei hetifeddiaeth ar gael iddi. Cafodd

Uchod: Torlun pren o Blas Dinam gan Margaret Davies. Magwyd Gwendoline a Margaret a'u brawd ym Mhlas Dinam, Llandinam, Sir Faldwyn. Codwyd y tŷ Gothig Fictoraidd gan W. E. Nesfield ym 1873-4. Fe'i prynwyd gan David Davies i fod yn gartref i'w fab Edward a'i wraig gyntaf, Mary Jones. Mewn dyddiadur cynnar a ysgrifennwyd yn Llundain, mae Margaret yn cyfeirio at Blas Dinam fel *'Home Sweet Home'*. Ar ôl eu taith i'r Eidal ym mis Mai 1909, ysgrifennodd 'mae yna ddinasoedd crand â phrydferthwch mawr ynddynt . . . mae yna olygfeydd hardd i'w gweld, ond mae fy nghartref yn bur gysurus ac ni fyddwn yn fodlon newid fy mryniau i am unrhyw fryniau eraill'. Yma y dechreuodd ei chwaer a hithau hongian eu casgliad o luniau. Roedd Margaret yn cynhyrchu gwaith ysgythru ar bren yn y 1920au ac mae ei blociau pren a'i hoffer yn dal ar glawr. *Casgliad preifat*

De: Llun o Adain Orllewinol Ysgol Highfield, Hendon. Llun o'r *Hampton's Scholastic Directory* 1902-3. Sefydlwyd yr ysgol ym 1863 gan Fanny ac Annie Metcalfe, a daeth yn un o ysgolion merched mwyaf y wlad. *'The education and culture of the individual girl is considered, rather than the requirements of high school or examination routine'*. Er bod yr ysgol mewn 37 erw o dir gwledig, roedd o fewn cyrraedd hwylus i'r West End yn Llundain ac felly roedd modd mynd yno'n rheolaidd i gyngherddau ac arddangosfeydd. Symudodd yr ysgol ym 1914 a chwalwyd y tŷ ym 1931. Tra oeddent yno, gwnaeth y chwiorydd ffrindiau oes. *Diolch i Archifau a Chanolfan Astudiaethau Lleol Barnet*

Little Highfield (Junior School). *Corner of West Wing.*

"HIGHFIELD,"

Dating from 1862.

Highfield is situated on the Main Road, between Hampstead and Hendon, in North West Middlesex.

PRINCIPAL - MISS METCALFE.

Private Residential School for Ladies.

Senior Department for Girls over 14, Junior Department for those under that age.

HIGHFIELD, including the Houses, School Chapel, Sanatorium, Laundry, Tennis Courts, Croquet Lawns, Cricket Field, Homestead Dairy and Cottages, extends over 37 acres of ground. Although so entirely in the country, Highfield is within very easy reach of the West End, thus affording every facility for the attendance of London Professors and Lecturers, and for the visits of girls to Concerts and Exhibitions, etc.

From the Private character of the School, the Education and culture of the individual girl is considered, rather than the requirements of high school or examination routine.

Postal Address: Highfield, Hendon, N.W.

Margaret ei chyfran hi o gyfoeth y teulu ym 1909 ac, o hynny ymlaen, gwelwn gynnydd yn eu diddordeb mewn celfyddyd a theithio. Bu Margaret mewn darlithoedd ar hanes celfyddyd yn yr Almaen rhwng mis Tachwedd 1907 a mis Chwefror 1908. Ymddengys bod y darlithoedd wedi'i hysbrydoli i gasglu celfyddyd, er ei bod wedi prynu ei darn cyntaf y flwyddyn flaenorol, sef *Yr Algeriad* o waith Hercules Brabazon Brabazon.

Mae nodiadau Margaret ar y cwrs cynhwysfawr am hanes celfyddyd gennym o hyd. Cwrs gan ryw Miss Watson yn Dresden oedd hwn. Roedd yn cychwyn â chyfnod y Dadeni ac yn symud ymlaen at gelfyddyd gyfoes. Bob hyn a hyn yn ystod y cwrs, roeddent yn ymweld ag orielau. Yn ei nodiadau, dywed Margaret fod Turner yn un o'r arlunwyr mwyaf dychmygus a'i fod yn peintio awyr a dŵr yn wych. Dywed fod Whistler yn argraffiadwr rhamantus ac nad oedd yr un arlunydd arall yn peintio'r nos fel y gwnâi ef. Buont yn astudio gwaith Rodin hefyd a theimlai Margaret mai *Y Gusan* oedd ei waith harddaf. Yn nes ymlaen y flwyddyn honno, prynodd Gwendoline *Y Bore Wedi'r Storm* gan Turner a phrynodd Margaret *Y Storm*. Talwyd dros £13,850 am y ddau ddarn i fasnachwr celfyddyd o Lundain o'r enw Colnaghi. Mae dogfen arall, ddiddyddiad, yn bwrw goleuni ar agwedd y ddwy at hanes celfyddyd. Tabl manwl o arlunwyr Eidalaidd yw hwn ac fe'i hysgrifennwyd yn llawysgrifen fechan, daclus, Gwendoline. Mae'n cynnwys y cyfnod o ddechrau'r drydedd ganrif ar ddeg i ganol yr ail ganrif ar bymtheg ac mae'n rhestru bron i gant o artistiaid oedd yn gweithio yn ninasoedd mwyaf yr Eidal. Rhyngddynt, aeth y chwiorydd ati i gasglu nifer sylweddol iawn o gardiau post, llawer ohonynt yn dangos lluniau gan yr arlunwyr roedd Gwendoline wedi'u cynnwys yn ei thabl.

Aeth y chwiorydd i'r Eidal i ddysgu mwy am gelfyddyd, gan deithio ym 1908 mewn *'gay and lively motor party'* a dychwelyd yno ym mis Mawrth 1909. Ymddengys bod y flwyddyn rhwng y ddau ymweliad wedi bod yn un eithriadol o anodd i Gwendoline – 'Dyma finnau'n cyrraedd unwaith eto i'r wlad hud, flwyddyn yn hŷn, flwyddyn yn dristach a, gobeithio, flwyddyn yn ddoethach.' Ni wyddom yn iawn pa drychineb a ddaeth i'w rhan. Gwyddom dipyn am eu hail ymweliad â'r Eidal gan fod dyddiaduron y ddwy gennym hyd heddiw. Ar y trên yr aethant mewn criw bychan oedd yn cynnwys Mr a Mrs William Jenkins (Mr Jenkins oedd rheolwr

De: JMW Turner, *Y Bore wedi'r Storm*. Ym mis Tachwedd 1908, prynodd Gwendoline y morlun diweddar hwn a dynnwyd ym 1840-45 a phrynodd Margaret ei gydymaith, *Y Storm*. Mae llythyr oddi wrth y masnachwyr, *Colnaghi and Co.*, yn dweud bod y ddau Turner wedi'u pacio'n eithriadol o ofalus yn unol â'r cyfarwyddiadau a'u hanfon i Blas Dinam ar y trên teithwyr. Yn ôl pob tebyg, ysbrydolwyd y ddau lun gan storm fawr 21 Tachwedd 1840 ac roeddent ymhlith nifer o ddarnau a roddodd yr arlunydd i'w howsgiper. Ddwy flynedd wedyn, prynodd y chwiorydd dri darlun olew arall gan Turner o'r un grŵp. Ym mis Ionawr 1910, ysgrifennodd Hugh Blaker at Gwendoline yn dweud 'yn sicr, mae gennych un o'r setiau mwyaf diddorol o luniau sydd i'w cael'. Mae'r ffordd roedd Turner yn sylwi ar effeithiau goleuni ar ddŵr a'r awyrgylch yn y llun hwn yn rhagflaenu gwaith yr Argraffiadwyr.

gyfarwyddwr yr *Ocean Coal Co.*), ond heb eu llysfam na Jane Blaker. Mae arddull Gwendoline yn fwy disgrifiadol a blodeuog ac un Margaret yn fwy rhyddieithol. I Pisa yr aethant gyntaf ac, erbyn mis Ebrill, roeddent yno, yn gweld y golygfeydd ac yn dringo'r tŵr cam enwog.

Oddi yno, aethant i Fflorens. Gwnaeth *David* gan Michelangelo argraff fawr ar y ddwy ohonynt. Dyma ddisgrifiad Gwendoline ohono: 'Mae'r un mor gryf, yr un mor synfyfyriol, yr un mor ddistaw ag yr ydoedd pan adawodd weithdy'r meistr bedwar can mlynedd cyfan yn ôl'.

Uchod: Cerdyn post o *Primavera* Botticelli. Yn ystod eu hymweliad â Fflorens ym 1909, cyhoeddodd Gwendoline fod 'rhai o drysorau mwyaf y byd' yn yr Uffizi ac esboniodd y bu iddi hi a'i chwaer archwilio pob llun o ysgol Tysgani'n ofalus yng nghwmni tywysydd. Roedd y chwiorydd yn aml yn casglu cardiau post o'r gweithiau celfyddydol mawr a welsant ond hwn yw'r unig un a roddodd yn ei dyddiadur darluniadol a rwymwyd â felwm. Ni wnaethant ddechrau prynu darnau gan artistiaid Eidalaidd y Dadeni tan y 1920au, pan brynwyd dau ddarlun a dadogwyd i Botticelli. *Casgliad preifat*

De: Torlun pren wedi'i liwio â llaw o gamlas yn Fenis gan Margaret Davies. Bu Margaret yn Fenis ym 1908 a 1909. Mwynhaodd grwydro camlesi'r ddinas mewn gondola. Soniodd am ymweliad â Murano i weld crefftwyr yn chwythu gwydr a mentro allan gyda'r nos ar ôl swper i weld y camlesi yng ngolau ffaglau – 'Mae'n noson serog braf. Mae llawer o bobl fel ninnau'n manteisio ar hynny i grwydro i fyny ac i lawr yn eu gondolas'. Prynodd *Y Gamlas Fawr, Fenis* o waith Monet ym 1912, a'i *Palazzo Dario* y flwyddyn ganlynol. *Casgliad preifat*

Yn ôl Gwendoline, roedd orielau'r Uffizzi yn llawn darluniau 'wedi'u trefnu mewn ffordd sy'n eich galluogi i olrhain datblygiad celfyddyd yr Eidal o'i dechreuadau amrwd i'w uchafbwynt gogoneddus yn y pymthegfed ganrif ac, wedi hynny, hanes trist y dirywiad'. Aethant i Assisi, a gweld 'gwaith rhyfeddol' Giotto yn eglwys Sant Ffransis, Perugia, Siena a dinas Etrwsgaidd hynafol Fiesole. Yna, ymlaen â nhw o Dysgani i Fenis, gan aros yn Bologna ar y ffordd. Buont yn Fenis o'r blaen ac roedd Margaret eisoes yn gyfarwydd â llawer o'r golygfeydd yr edrychai ymlaen at eu gweld. Cychwynnodd yr ymweliad ar 22 Ebrill a, dros y dyddiau nesaf, buont yn y Palazzo Ducale, lle bu Margaret yn edmygu *Priodas Santes Catherine* gan Tintoretto, basilica Sant Marc ac eglwys fawr Santa Maria della Salute. Roedd eu hymweliad bron ar ben cyn iddynt fynd i'r Academia. Mae disgrifiad Margaret o'r profiad yn dangos eu bod o ddifrif ynghylch astudio celfyddyd: 'Ar ôl gwylio datblygiad arlunio yn Fflorens, Siena a Perugia, rydyn ni'n mynd i astudio Ysgol Fenis yn bennaf – gwlad lliw – gweithiau'r Bellinis, Carpaccio, gweithiau mawr Titian, Paolo Veronese, Tintoretto, Palma Vecchio a llu o rai eraill'. Gadawsant Fenis ar 28 Ebrill gan gychwyn am Baris, ac aros ym Milan ar y ffordd i weld rhai o'r golygfeydd.

Ym Mharis, aeth y chwiorydd i'r Louvre ac ymddengys eu bod yn gyfarwydd â'r lle: 'rydym yn cerdded trwy'r neuaddau mawr a minnau'n dewis rhai o'm ffefrynnau yno'. A hwythau eisoes yn berchen ar ddau lun gan Corot, roeddent yn awyddus i weld ei waith – 'mae 'na gasgliad da iawn gan Corot, yn wir maen nhw i gyd yn hyfryd'. Yn ogystal, ysgrifennodd Margaret 'Mae 'na emau bach hardd iawn gan Millet o fywyd cefn gwlad'. Ym mis Hydref 1909, prynodd y chwiorydd drydydd darn gan Corot, *Castel Gandolfo*, am £6,350. Cyn diwedd yr un mis, prynodd Gwendoline *Merch y Gwyddau* gan Millet am £5,355. Roedd Margaret yn arbennig o hoff o'r 'lluniau bach hyfryd gan Meisonnier' a, chyn hir, gofynnodd i Hugh Blaker chwilio am waith addas gan yr arlunydd hwnnw. Aeth y chwiorydd i'r Salon i weld arddangosfa'r gwanwyn yn y Grand Palais. Meddai Margaret 'Mae dyn yn gweld portreadau trawiadol iawn, tirluniau del, rhai grwpiau da a llawer o luniau nad wyf i'n hoff ohonynt, maent yn rhy argraffiadol at fy nant i'. Roedd ei chwaeth ar fin datblygu mewn cyfeiriad gwahanol iawn a, dim ond dwy flynedd yn ddiweddarach, roedd yn prynu eu darluniau Argraffiadol cyntaf. Aeth ymlaen i edmygu arddangosfa o bortreadau o ferched o'r ddeunawfed ganrif gan arlunwyr o Ffrainc a

De: George Romney, *Portread o Mrs Newberry*, 1782-4. A hithau ym Mharis ym mis Mai 1909, dywed Margaret iddi fynd i'r Jardin des Tuileries i weld arddangosfa gan bortreadwyr Ffrengig a Seisnig o'r ddeunawfed ganrif o fenywod blaenllaw eu dydd. Roedd yn llawn edmygedd o waith Hoppner, Lawrence, Romney, Gainsborough, Raeburn, Hogarth a Reynolds. Yn fuan ar ôl dychwelyd, gwariodd dros £5,000 ar y gwaith hwn gan Romney, oedd yn eithaf costus o gofio mai dim ond £1,000 a dalodd am ei darlun Argraffiadol cyntaf dair blynedd yn ddiweddarach (*Y Gamlas Fawr, Fenis* gan Monet). Llun ydyw o Mrs Newbery, chwaer Robert Raikes, symbylydd yr Ysgolion Sul. Ym mis Rhagfyr 1910, prynodd Gwendoline bortread Raeburn o Mrs Robert Douglas am £6,300 i'w ychwanegu at eu casgliad o bortreadau Prydeinig o'r ddeunawfed ganrif.

Lloegr. Teithiodd y chwiorydd yn ôl i Lundain ar 6 Mai. Cyn diwedd y mis, talodd Margaret £5,355 am y *Portread o Mrs Newbery* gan Romney. Ym mis Awst 1909, i ffwrdd â nhw eto i deithio am 'wythnos hapus yn Bayreuth ac amser pleserus yn ardal y Tyrol yn Awstria' i fwynhau gŵyl opera Wagner.

Yn ystod 1910, prynodd y chwiorydd ddeunaw o weithiau wrth iddyn nhw ddod yn gasglwyr mwy brwd. Ysgrifennodd Blaker ei fod yn chwilio am luniau dyfrlliw da gan Meissonier a Turner. Ym mis Mawrth, talodd Margaret £5,250 am *Diniweidiaid a Thwyllwyr Cardiau* gan Meissonier, â'r swm yn adlewyrchu poblogrwydd yr arlunydd ar y pryd. Prynodd y chwiorydd ddau lun arwyddocaol gan Millet dros yr haf, sef *Samariad Trugarog*, a brynodd Gwendoline am ddim ond £997, a *Bugeiles*, a brynodd Margaret am £1,105. Cyn diwedd y flwyddyn, prynodd Gwendoline ddau ddarlun traddodiadol ond costus – talodd £6,000 am ddarlun olew gan Turner, *Y Bore wedi'r Llongddrylliad*, a chadarnhawyd ei hoffter o bortreadau Prydeinig y ddeunawfed ganrif pan brynodd *Mrs Douglas* gan Raeburn am £6,300.

Yn hydref 1910, cychwynnodd y chwiorydd, Evelyn Herring a'u llysfam ar daith i'r Almaen, y Swistir, Awstria a gogledd yr Eidal yn eu Daimler. Roeddent eisoes wedi teithio i'r Eidal yn eu car ym 1908 a gwyddent y byddai'r Daimler yn eu galluogi i fynd i lefydd nad oedd twristiaid yn arfer ymweld â nhw. Yn nyddiadur Margaret, cawn gipolwg eithriadol o ddifyr ar ddyddiau cynnar teithio mewn car yn Ewrop. Ar ôl cwrdd â'r car yng Nghwlen (*Cologne*), buont yn gyrru ar hyd glannau'r afon Rhein trwy Koblenz i St Goar ac meddai Margaret 'Yn bersonol, mae'n llawer gwell gennyf rai o'r golygfeydd a gewch o lannau Gwy neu Hafren'. Cawsant yrru trwy'r Goedwig Ddu a chroesi i'r Swistir gan fwynhau cerdded yn y mynyddoedd ac ar lannau'r llynnoedd cyn cychwyn am Oberammergau ym Mafaria ar gyfer uchafbwynt y daith – cyfle i weld *Drama'r Pasg* a gynhelir bob deng mlynedd ac yr oedd yr Anghydffurfwyr yn llawn edmygedd ohoni. Erbyn 22 Medi, roeddent wedi cyrraedd Riva ym mhen gogleddol Llyn Garda a dyma yrru i lawr glan ddwyreiniol y llyn, dros y ffin i'r Eidal a thua Ferona. Drannoeth, ar ôl cychwyn yn fore, cyrhaeddwyd Mantua lle buont yn edmygu ffresgos Giulio Romano a Mantegna yn y Palazzo Ducale. Tra oeddent yn aros yn Bologna am rai dyddiau, cawsant hwyl yn casglu grawnwin fry uwchben y ddinas gyda'u cefnder, Edward Lloyd Jones. O Bologna, cawsant deithiau i Rimini a San Marino ac aethant i Ravenna i weld y mosaigau enwog. Oddi

De: Jean Louis Ernest Meissonier, *Diniweidiaid a Thwyllwyr Cardiau,* 1861. Darnau genre bychain y byddai Meissonier yn eu peintio. Yn aml, roeddent ar thema filwrol, wedi'u hysbrydoli gan arlunwyr o'r Iseldiroedd yn yr ail ganrif ar bymtheg. Roedd Margaret wedi gweld ei waith yn y Louvre ym 1909 a'i edmygu. Ar ôl i'w chwaer sôn am y peth, ysgrifennodd Blaker at Margaret ar 17 Mawrth 1910 i ddweud ei fod wedi gweld llun addas ar ei chyfer. Anfonodd yr oriel yn Ffrainc ddisgrifiad manwl o'r darn at Margaret cyn iddi benderfynu ei brynu, yn y pen draw, am £5,250. Mae'r gost uchel yn adlewyrchu poblogrwydd yr artist ar adeg pan fyddai modd prynu gweithiau'r Argraffiadwyr am llai o arian o lawer.

EMeissonier 1861

yno, aethant ymlaen i Padua lle plesiwyd Margaret yn fawr gan ffresgo gwych gan Mantegna o'r enw *Merthyrdod Sant Christopher* yn yr Eremitani – 'Mae'n rhaid i mi ddweud fy mod i'n hoff iawn o waith Mantegna, mae cryfder ei ffigurau'n apelio ataf'. O Padua, dyma ddychwelyd i Milan, a theithio nôl i Brydain ar y trên.

Ym mis Mawrth 1911, hwyliodd y chwiorydd ar stemar P&O, *Morea*, i Port Said yn yr Aifft. Ychydig o ddarnau o gelfyddyd a brynodd y ddwy ym 1911. Nid tan fis Medi'r flwyddyn honno y prynwyd dau ddarn o waith Millet, *Yr Heuwr* a'r *Teulu Gwerinol*. Mae hyn yn awgrymu eu bod dramor am beth amser. Ceir darn bach arall mewn dyddiadur yn disgrifio ymweliad â gwlad Groeg gyda Bertha Herring. Mae Margaret yn disgrifio Gwendoline yn gorffen ei braslun o'r Acropolis o falconi eu hystafell yn y gwesty.

Mae un arall o ddyddiaduron Margaret o'r dyddiau cyn y Rhyfel, tua 1913-14 yn fwy na thebyg wedi goroesi hefyd. Mae'n cofnodi ymweliad pedwar mis, dros y gaeaf, â Costabelle yn ne Ffrainc. Margaret aeth yno'n gyntaf gyda Jane Blaker. Cafodd Margaret wersi sgwrsio Ffrangeg, gwersi braslunio a dysgodd chwarae golff. Roedd yn gwerthfawrogi tirwedd yr ardal, yn enwedig wrth gerdded ar y llwybrau mynyddig gan edmygu'r coed cypres a'r pinwydd, toeau coch llachar y tai a'r môr clir 'sydd mor las yn erbyn y creigiau ganol dydd'. Efallai mai yn ystod ei hymweliad hir y deffrowyd ei diddordeb yn nhestunau'r ddau lun gan Cézanne a brynodd ei chwaer ym mis Ebrill 1918. Bu Margaret yn Nice, Menton a Monte Carlo, ac nid oedd ei hymateb i'r tai gamblo mor llym ag y gellid ei ddisgwyl. Wrth ysgrifennu am y tyrfaoedd o gwmpas y casinos, meddai, 'Dyna ddifyr yw gwylio'r gwahanol fathau o bobl sy'n hofran o gwmpas, yn barod i neidio ar eu harian os ydynt yn ddigon ffodus i ennill rhywbeth'. Wedyn

Top, chwith: Elizabeth Davies, llysfam y chwiorydd, 1910. Mae'r dyddiadur a ysgrifennodd Margaret ym mis Medi 1910 pan oeddent yn teithio Ewrop yn y Daimler yn rhoi cipolwg eithriadol o ddifyr i ni ar deithiau modur yn Ewrop ar y pryd. Mae'r Tocyn Teithio Rhyngwladol a roddwyd ar 2 Medi gan y Royal Automobile Club yn Llundain yn dal ar glawr, gyda ffotograffau o berchennog y car, Elizabeth Davies, llysfam y chwiorydd, y dywedir nad oedd yn gyrru, a'u chauffeur, Archibald Harrington. Cyfarfu Elizabeth a'r merched â Harrington a'r Daimler yng Nghwlen ac mae dyddiadur Margaret yn llawn sôn am eu profiadau'n gyrru yn y mynyddoedd ac ar heolydd lleidiog, yn cael pynctshars, yn trochi cerddwyr â mwd ac yn teithio 180 milltir mewn diwrnod weithiau. *Prifysgol Cymru, Gregynog*

Top, de: Ffotograff o Andreas Lang yn chwarae rhan Sant Pedr. Dim ond unwaith bob deng mlynedd y cyflwynir Drama'r Pasg yn Oberammergau. Pan gyrhaeddodd y chwiorydd yno, daeth eu ffrind ysgol Dolly Dugdale, Jane Blaker a dwy fodryb iddynt i ymuno â nhw. Mae Margaret yn cyfleu cyffro'r bobl leol yn ymlwybro i weld y ddrama ac yn cymysgu â thramorwyr, llawer o Americanwyr yn eu plith. Creodd golygfeydd y Swper Olaf ac Ymdaith Fuddugoliaethus Crist i Jerwsalem argraff ffafriol iawn arni ond teimlai fod golygfeydd diweddarach fel yr Ing yn yr Ardd a'r Prawf a'r Croeshoelio braidd yn ddi-chwaeth. Gadawodd y theatr gan deimlo 'na ddylai'r un dyn marwol geisio actio'r fath beth'. Serch hynny, roedd yn llawn canmoliaeth i rai o'r actorion, ac ysgrifennodd 'Rwy'n hoffi Andreas Lang fel Pedr yn fawr iawn. Dyna wyneb caredig sydd ganddo ac O! roedd rhywun yn teimlo i'r byw pan oedd yn wylo'n chwerw dost ar ôl gwadu ei Arglwydd'. *Casgliad preifat*

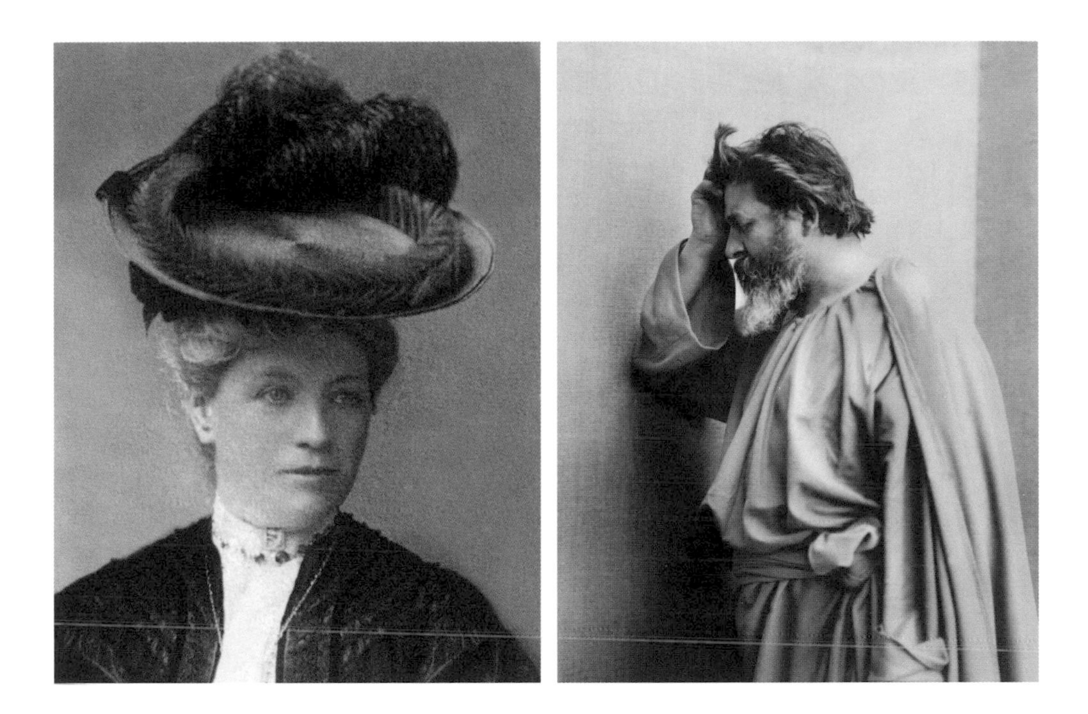

ymunodd Gwendoline a'u brawd David â hi. Teithiodd y grŵp ymlaen i'r Eidal gan ymweld eto â golygfeydd Napoli a Sisili.

Ym 1912 y dechreuodd y chwiorydd gasglu o ddifri. Ym mis Ionawr, prynodd Gwendoline lun o *Eglwys Sant Marc Fenis, Noslun mewn glas ac aur* gan Whistler am £2,850, a phrynodd beintiadau gan Millet a Daumier y flwyddyn honno hefyd. Erbyn mis Awst, mae'n amlwg eu bod yn ystyried gweithiau'r Argraffiadwyr. Ysgrifennodd Hugh Blaker atynt bryd hynny: 'Rwyf wrth fy modd eich bod yn meddwl am gael enghreifftiau o waith yr Argraffiadwyr o 1870. Ychydig iawn o gasglwyr Lloegr, ac eithrio Hugh Lane, sydd wedi'u prynu o gwbl er bod llawer o'u gweithiau gorau yn America eisoes. Mae'n debyg eich bod yn gwybod hefyd am waith Sisley, Pissarro a Renoir. Mae modd prynu'r rhain yn eithaf rhad o hyd'. Gan fod y chwiorydd yn berchen ar gopi o *Peintres Impressionistes: Pissarro, Renoir, Morisot* gan Duret a gyhoeddwyd ym Mharis ym 1906, mae'n debyg eu bod yn gyfarwydd â gwaith Renoir a Pissarro. Ym mis Medi 1912, roeddent yn ystyried darnau gan Rodin a Monet – prynodd Gwendoline gast maint llawn o *Y Gusan* a cherflun marmor o'r enw *Rhithiau wedi syrthio i'r Ddaear* gan Rodin. Yna, ym mis Hydref, prynodd y ddwy eu peintiadau Argraffiadol cyntaf o bwys: prynodd Margaret *Y Gamlas*

Fawr, Fenis o waith Monet am £1,600 (mae hwn yn Amgueddfa'r Celfyddydau Cain, San Francisco erbyn hyn) a phrynodd Gwendoline *San Giorgio Maggiore* am £1,300 a *San Giorgio Maggiore yn y Gwyll* am £1,000 – symiau eithaf bach o'u cymharu â'r hyn yr oeddent wedi'i dalu am waith Turner. Yn ogystal, prynodd Gwendoline *Effaith Eira yn Petit Montrouge* gan Manet am ddim ond £240 ac erbyn hyn, ystyrir mai hwn yw ei ddarlun Argraffiadol cyntaf. Roedd gwaith Monet wedi gwneud argraff fawr ar y chwiorydd a'r flwyddyn ganlynol, prynodd Margaret *Palazzo Dario* a *Phont Westminster* a phrynodd Gwendoline dri llun o *Liliau Dŵr*. Ym 1913 y prynodd Gwendoline ei darn mwyaf arwyddocaol eto, *La Parisienne* gan Renoir, un o weithiau allweddol yr Arddangosfa Argraffiadol Gyntaf ym 1874. Gwelodd y darlun yn arddangosfa'r Gymdeithas Bortreadau Genedlaethol yn Llundain yn Oriel Grosvenor, a'i brynu ym mis Mawrth 1913 am £5,000. Yn ystod y flwyddyn honno hefyd, prynwyd dau ddarn gan Carrières, dau arall gan Daumier, un gan Mancini a dau gerflun gan Rodin.

Erbyn dechrau'r Rhyfel Byd Cyntaf, roedd gan Gwendoline a Margaret gasgliad rhagorol oedd yn adlewyrchu eu diddordebau, eu hastudiaethau a'u teithiau. Roeddent wedi dechrau casglu darluniau Argraffiadol ac roedd rhai o'u darnau enwocaf, fel lluniau Monet o Fenis, eisoes i'w gweld ar waliau Plas Dinam. Daliwyd ati i gasglu yn ystod y Rhyfel Byd Cyntaf ond ni chawn wybod pa luniau a brynwyd yn y cyfnod hwn yn eu dyddiaduron sy'n sôn am fywyd fel gwirfoddolwyr yng nghabanau bwyd y Groes Goch. Ym mis Ionawr 1918, cyfieithodd Margaret *Bywyd Cézanne* gan Vollard, fel ffordd o baratoi, o bosib, erbyn y byddai ei chwaer yn prynu dau o'i dirluniau. Ar ôl y Rhyfel Byd Cyntaf parhaodd y chwiorydd â'r arfer o fynd ar deithiau anturus – mae Gwendoline yn sôn am ymweliad y ddwy â Phalesteina ym 1924, ac fe fuont ar un o deithiau tywys Thomas Cook i Damascus, Baghdad, Petra a'r Wlad Sanctaidd ym 1928.

Er bod cyfoeth y chwiorydd a'u cefndir teuluol yn elfennau allweddol yn eu bywydau, roedd ganddynt fwy o ddysg a gwybodaeth am hanes celf nag y sylweddolwyd o'r blaen, ac roeddent wedi teithio'n helaeth. Gwelir eu bod yn ferched ifanc brwd oedd yn awyddus i ddysgu am gasglu darnau celf. Ar y dechrau, roedd eu gwaith yn amrywiol ond, yn fuan iawn, manteisiwyd ar y cyfleoedd i gofleidio Argraffiadaeth ac, erbyn 1914, roedd ganddynt un o'r casgliadau celf mwyaf nodedig ym Mhrydain.

De: Paul Cézanne, *Canol Dydd, L'Estaque,* tua 1879. Mae disgrifiad Margaret o dirwedd de Ffrainc cyn y rhyfel yn dwyn i gof y llun a brynodd ei chwaer ym 1918, ag iddo'r teitl *Argae François Zola* ar y pryd – 'llwybrau bach mynyddig, mor ddifyr i'w crwydro … coed cypres tal a mawreddog, pinwydd gwyrdd tywyll llawn dirgelwch, a choed olewydd ariannaidd …'. Ym mis Ionawr 1918, cyfieithodd Margaret adroddiad anecdotaidd o fywyd Cézanne gan y masnachwr celfyddyd Ambroise Vollard o'r Ffrangeg wrth baratoi i brynu'r gwaith hwn a *Thirlun ym Mhrofens* yn fwy na thebyg. Bu adolygiad ohono gan Roger Fry yn *The Burlington Magazine* y flwyddyn gynt. Yn nes ymlaen, roedd Margaret ei hun yn teimlo'i bod yn cael ysbrydoliaeth wrth beintio yn ne Ffrainc ac, ymhen amser, prynodd dŷ yno. *Amgueddfa Cymru*

'CHWALU'N CHWILFRIW'

EFFAITH Y RHYFEL MAWR

PAN GAFODD GWENDOLINE a Margaret Davies eu pen-blwydd yn bump ar hugain oed, ym 1907 a 1909, cawsant un rhan o dair yr un o stad eu tad. Fodd bynnag, ac eithrio pan oeddent yn teithio dramor, roeddent yn dal i fyw'n dawel ym Mhlas Dinam o dan adain eu llysfam Mrs Elizabeth Davies, oedd yn gymeriad cryf. Am rai blynyddoedd wedyn, cawsant fywyd cysgodol, breintiedig a phreifat, gan mwyaf. Roedd eu brawd hŷn, David, ar y llaw arall, eisoes yn ffigwr cyhoeddus prysur. Roedd yn Aelod Seneddol Rhyddfrydol dros Faldwyn ers 1906 a daeth i reoli ymerodraeth ddiwydiannol ei daid gan oruchwylio'r broses o uno â chwmni Wilsons & Co. ym 1908, a fyddai'n esgor ar gyfoeth mawr i'r cyfranddalwyr dros yr ugain mlynedd nesaf. Yn ogystal, daeth yn gyfarwyddwr nifer o gwmnïau eraill. Fel ei daid, dymuniad David Davies oedd defnyddio'i gyfoeth er budd eraill yn ogystal ag ef ei hunan ac, ym 1911, lansiodd y Gymdeithas Goffa Genedlaethol Gymreig, er cof am Edward VII er mwyn mynd i'r afael â phroblem twbercwlosis yng Nghymru. Erbyn 1929, roedd wedi rhannu dros £250,000 i hyrwyddo iechyd y cyhoedd, addysg bellach, tai, dirwest, y Methodistiaid Calfinaidd a heddwch rhyngwladol. Parhaodd y berthynas glòs rhwng Gwendoline a Margaret a'u brawd ar ôl iddo briodi ym 1910 a bu i'r chwiorydd fabwysiadu nifer o'i achosion da. Roeddent yn ymddiddori yn sanatoria twbercwlosis, Coleg Prifysgol Cymru, Aberystwyth, ac yn y Llyfrgell Genedlaethol a'r Amgueddfa Genedlaethol, oedd yn eu dyddiau cynnar. Rhyngddynt, rhoddodd y ddwy chwaer a'u brawd £5,000 i gronfa adeiladu'r Amgueddfa Genedlaethol ym 1914. Roedd David Davies yn ddyn awdurdodol a diamynedd weithiau, a byddai'n cynnwys ei chwiorydd yn ei waith elusennol ef ei hunan. Ar y dechrau o leiaf, roeddent yn fodlon iddo wneud hynny. Serch hynny, roedd ganddynt nifer fawr o ddiddordebau diwylliannol, yn enwedig ym meysydd celfyddyd a cherddoriaeth, yn annibynnol ar eu brawd.

Dechreuont gasglu gweithiau celfyddyd ym 1908, ac erbyn 1913 roeddent wedi gwario dros £120,000 ar luniau a cherfluniau. Cyn hir, roedd rhan sylweddol o'u casgliad yn cael ei dangos i'r cyhoedd, yn ddienw, yn yr *Arddangosfa o Weithiau Benthyg* yn yr Amgueddfa Genedlaethol yn Chwefror a Mawrth 1913. Syniad eu cynghorwyr Murray Urquhart a Hugh Blaker oedd yr arddangosfa, a chafodd y chwiorydd eu darbwyllo i gymryd rhan ynddi gan eu cyfaill agos Thomas Jones. Nhw hefyd a dalodd holl gostau'r sioe, a ddenodd dros 26,000 o ymwelwyr

Daw teitl y bennod o lythyr ysgrifennodd Gwendoline at ei chyfaill T.J. ar ddechrau'r Ail Ryfel Byd, lle mae'n dweud 'Chwalwyd fy mywyd a'm hiechyd yn chwilfriw gan y rhyfel cyntaf... chi oedd yr adeiladwr a'r adferwr.' Mae'r llun yn dangos David, brawd Margaret a Gwendoline, fel swyddog yn y Ffiwsilwyr Brenhinol Cymreig, tua 1915. Etifeddodd reolaeth dros yr ymerodraeth ddiwydiannol a grëodd eu taid. Bu'n Aelod Seneddol Rhyddfrydol rhwng 1906 a 1929, gan wasanaethu yn Ffrainc am flwyddyn cyn cael ei benodi'n Ysgrifennydd Preifat Seneddol i David Lloyd George ym mis Gorffennaf 1916. Daeth Lloyd George yn Brif Weinidog ym mis Rhagfyr y flwyddyn honno ond diswyddodd Davies ymhen rhai misoedd. Roedd Davies wedi'i greithio gan ei brofiadau yn y rhyfel ac roedd yn gefnogwr pybyr i Gynghrair y Cenhedloedd, a sefydlwyd ar ôl cytundeb heddwch Versailles ym 1919. Gwnaed ef yn Farwn Davies Llandinam ym 1932. Roedd yn ddelfrydwr hael, ond penderfynol, a gafodd ddylanwad enfawr ar fywyd Cymru. *Casgliad preifat*

mewn saith wythnos a hanner. Roedd yr arddangosfa'n cynnwys un o'r cyflwyniadau mwyaf cynhwysfawr o gelfyddyd ddiweddar Ffrainc a welwyd erioed ym Mhrydain ac roedd iddi nod uchelgeisiol iawn. Roedd teimlad cynyddol ar y pryd bod angen adfywiad yn y celfyddydau yng Nghymru i gyd-fynd â datblygiad y sefydliadau cenedlaethol a'r twf yn economi'r wlad. Nodwyd yn ddi-flewyn-ar-dafod yn *The Welsh Outlook*, cylchgrawn misol a ariannwyd gan David Davies a'i olygu gan Thomas Jones oedd yn cynnwys eitemau helaeth a rhyngwladol am y celfyddydau, bod gwaith astudio arlunio a cherflunio ar ei hôl hi'n ofnadwy yng Nghymru. Roedd yr artist Christopher Williams newydd alw am arddangosfeydd o 'luniau ardderchog … i roi gwybod i'r bobl beth sy'n digwydd ym myd y Celfyddydau heddiw.' Yn ôl Hugh Blaker, nad oedd arno ofn canmol ei gampau ei hunan, roedd yr arddangosfa yn 'garreg filltir mewn datblygiad artistig yng Nghymru', ac roedd ei llwyddiant yn arwydd o'r adfywiad y bu cymaint o ddisgwyl amdano.

Uchod: *Yr Arddangosfa o Weithiau Benthyg* a gynhaliwyd yn yr amgueddfa dros dro yn Neuadd Dinas Caerdydd rhwng 4 Chwefror a 28 Mawrth 1913. Hon oedd yr arddangosfa gyntaf i gael ei chynnal o dan nawdd yr Amgueddfa Genedlaethol. Rhoddodd Gwendoline a Margaret lawer o ddarnau o'u casgliad newydd ar fenthyg, yn ddienw. Roedd yn cynnwys grwpiau pwysig o beintiadau gan Turner, Corot, Daumier, Millet, Whistler a Monet, yn ogystal â thirluniau a pheintiadau genre gan arlunwyr eraill oedd yn gweithio ar y cyfandir tua diwedd y bedwaredd ganrif ar bymtheg, a dau gerflun gan Rodin, mae un ohonynt, *Y Gusan*, i'w weld yn amlwg yma.

Byddai'r syniad o ddefnyddio celfyddyd fodernaidd Ewropeaidd fel hwb i adfywio'r celfyddydau yng Nghymru yn codi'i ben yn y teulu Davies o dan amgylchiadau anarferol iawn eto cyn hir. Ar 4 Awst 1914, goresgynnwyd gwlad Belg gan yr Almaen mewn ymosodiad a fyddai'n arwain at y Rhyfel Byd Cyntaf, rhyfel a fyddai'n chwalu'r byd cysurus y magwyd y chwiorydd ynddo ar ddiwedd Oes Fictoria. Wrth i fyddin yr Almaen symud trwy wlad Belg, roeddent yn ymosod ar bobl gyffredin ac eiddo preifat. Erbyn mis Hydref, er iddynt brofi rhwystrau yn ardaloedd Marne ac Aisne, roedd yr Almaenwyr wedi meddiannu gwlad Belg i gyd ar wahân i'r gornel ogledd-orllewinol rhwng Ypres a La Panne. Yn ystod yr wythnosau hyn o anhrefn, ffodd dros filiwn o bobl o'u cartrefi. Aeth y rhan fwyaf i'r Iseldiroedd neu i Ffrainc ond daeth rhyw 100,000 i Brydain, lle cafodd eu sefyllfa druenus gryn sylw, ac ymgymerodd nifer o wragedd bonheddig â'r dasg o ganfod cartrefi addas iddynt. Cafodd teulu'r Daviesiaid y syniad o ddod ag artistiaid o wlad Belg i Gymru lle gallent weithio'n ddiogel ac ysbrydoli myfyrwyr celf y wlad. Tua diwedd Medi 1914, aeth eu hasiant, yr Uwch-gapten Burdon-Evans, a Thomas Jones ar daith beryglus i wlad Belg lle'r aethant ati i ddwyn criw o 91 o ffoaduriaid ynghyd, yn cynnwys y cerflunydd George Minne (1866-1941), a'r arlunwyr Valerius de Saedeleer (1867-1941) a Gustave van de Woestyne (1881-1947) a'u teuluoedd. Yn ddiweddarach, disgrifiodd Marie, merch Minne, sut y cawsant 'neges ardderchog oddi wrth Mrs Edward Davies o Landinam a Miss Gwen a Miss Daisy Davies i wahodd artistiaid o wlad Belg i Gymru lle byddent nid yn unig yn cael parhau i weithio ond y byddent hefyd yn cyflwyno dawn benodol i bobl Cymru.' Cyfarfu'r chwiorydd â'r artistiaid yn Llundain a theithio gyda nhw i Aberystwyth. Treuliodd y tri theulu weddill y rhyfel yn ffoaduriaid gan ddibynnu i raddau helaeth ar y teulu Davies i'w cynnal. Cafwyd tŷ ar gyfer y teulu de Saedeleer yn Rhyd-y-felin, ac aeth teulu Minne a theulu van de Woestynes i fyw i Lanidloes. Gan eu bod wedi'u gwahanu oddi wrth gymunedau'r ffoaduriaid o wlad Belg yn Llundain ac nad oeddent mewn cysylltiad ag artistiaid eraill, roedd blynyddoedd y rhyfel yn rhai unig ac anodd iddynt. Roedd Minne'n gerflunydd symbolaidd ag iddo enw da ledled Ewrop ond, gan nad oedd ganddo stiwdio na ffowndri i'w defnyddio, yr unig beth y gallai ei wneud oedd arlunio. Ymdrechodd de Saedeleer i'w gynnal ei hun trwy dynnu lluniau panorama o'r wlad o gwmpas Aberystwyth, a symudodd van de Woestyne i Lundain yn barhaol ym 1916. Er na chawsant lawer iawn o effaith ar y celfyddydau yng Nghymru, cafodd eu cyfnod yng Nghymru ddylanwad mawr ar waith y tri artist.

Chwith: Portread o Thomas Jones (1870-1955). Ganed Thomas Jones yn Rhymni, lle'r oedd ei dad yn rheoli siop cwmni'r *Rhymni Iron Company*. Roedd yn Athro Economeg ym Mhrifysgol Belffast pan gafodd ei benodi gan David Davies yn ysgrifennydd Cymdeithas Goffa Genedlaethol Gymreig y Brenin Edward VII ym 1910. Jones, hefyd, oedd golygydd cyntaf *The Welsh Outlook*, cylchgrawn gwleidyddol a diwylliannol a sefydlwyd gan David Davies ym 1914. Roedd yn Ddirprwy Ysgrifennydd y Cabinet o 1916 tan 1930. Fel y chwiorydd Davies, ymdaflodd i lawer o brojectau elusennol a dyngarol. Roedd yn un o sefydlwyr Gwasg Gregynog ym 1921-3 a, rhwng 1930 a 1945, ef oedd ysgrifennydd cyntaf y Pilgrim Trust. Artist o wlad Belg o'r enw Paul Artot (1875-1958) a dynnodd y portread pastel hwn yn Glasgow tua 1914.

Ym 1915, dechreuodd y chwiorydd wneud mwy a mwy o waith elusennol ynglŷn â'r rhyfel. Yr haf hwnnw, brawychwyd y teulu cyfan pan gafodd eu cefnder, Edward Lloyd Jones, yr oedd Gwendoline yn arbennig o hoff ohono, ei ladd yn ymgyrch y Dardanelles. Yn nes ymlaen y flwyddyn honno, aeth David Davies i'r rhyfel hefyd, gan wasanaethu yn Ffrainc gyda 14eg

Tudalen flaenorol, chwith: George Minne, *Le Petit Blessé,* 1898. Cerflunydd o'r enw George Minne (1866-1941) o wlad Belg roddodd y darn efydd bychan hwn i Gwendoline Davies i ddiolch am ei chefnogaeth yn ystod y Rhyfel Byd Cyntaf. Minne oedd yr enwocaf o'r artistiaid a ddaeth i Gymru'n ffoaduriaid ac roedd ganddo enw rhyngwladol fel cerflunydd symbolaidd. Mae'r cerflun hwn yn dangos ei hoffter o siapiau hir, llinellog a ffurfiau arddulliedig, ac mae cysylltiad rhyngddo â'i waith enwocaf, sef pobl ifanc yn penlinio o gwmpas ffynnon, a ddangoswyd yn y Secessionsstil yn Fiena ym 1900. *Prifysgol Cymru, Gregynog*

Tudalen flaenorol, de: Augustus John, *Hunanbortread,* olew ar gynfas, 1913. Ym mis Chwefror 1916, gwariodd Gwendoline Davies £2,350 ar ddeg o ddarluniau olew (yn cynnwys hwn) a lluniad gan Augustus John mewn arddangosfa yn Oriel Chenil, sef bron hanner lluniau'r arddangosfa. Nid oedd yn casglu gweithiau yr un artist arall ar y fath raddfa ac roedd yn benderfynol y dylid arddangos ei waith yn yr Amgueddfa Genedlaethol. Darbwyllodd John i gyfrannu set o'i frasluniau ac, yn nes ymlaen, cyfrannodd hithau nifer o ddarnau ganddo ar fenthyg.

Uchod: Valerius de Saedeleer, Tirlun ger Aberystwyth / Golygfa ym Mhonterwyd, olew ar gynfas, 1915-21. Cyrhaeddodd yr arlunydd tirluniau, Valerius de Saedeleer (1867-1941), Gymru gyda'i wraig a'u pum merch a chanfuwyd tŷ iddynt yn Rhyd-y-felin, ger Aberystwyth. Panoramas yw'r lluniau a dynnodd yng Nghymru. Yn gyffredinol, maent yn dilyn llinellau tonnog addurnol a chan fod y gwaith brwsh bron yn anweladwy, mae wyneb y paent yn denau. Roedd darnau fel hyn, sy'n dangos Ponterwyd, pentref bach ddeng milltir i'r dwyrain o Aberystwyth lle mae afonydd Rheidol a Llywernog yn cwrdd, yn eithaf poblogaidd gyda'r bobl leol a'r beirniaid, ond roedd yn anodd iawn iddo gynnal ei deulu trwy arlunio yn unig.
Llyfrgell Genedlaethol Cymru

De: George Minne, *Mam a'i Phlentyn,* llun siarcol ag arno'r arysgrif 'à Madame Davies / souvenir / respectueux / noel / George Minne / Llanidloes, 15'. Gan na allai gerflunio yn ystod y rhyfel, aeth Minne yn ôl i wneud darluniau mawr. Gwnaeth gannoedd ar thema'r Fam a'i Phlentyn, y *pieta* a'r fenyw'n disgwyl". Roedd hyd yn oed yn tynnu lluniau ar waliau ei dŷ yn Llanidloes. Rhoddodd hwn i lysfam y chwiorydd, Elizabeth, a fu'n helpu i ganfod cartrefi ar gyfer ffoaduriaid o wlad Belg yng Nghymru.
Prifysgol Cymru, Gregynog

George Minne

bataliwn y Ffiwsilwyr Brenhinol Cymreig, yr oedd ef wedi helpu i'w codi. Pan ddaeth yn amlwg y byddai'r rhyfel yn para am sawl blwyddyn ac y byddai gofyn am ymdrech ac aberth na fu erioed eu bath er mwyn sicrhau buddugoliaeth, dechreuodd mwy a mwy o fenywod wneud gwaith ynglŷn â'r rhyfel gartref mewn ffatrïoedd, ar y tir, fel cynorthwywyr mewn ysbytai neu fel nyrsys. Roedd y chwiorydd yn 'awyddus iawn … i wneud rhywbeth i helpu', ond hyd yn oed ym 1916, ychydig iawn o fenywod a lwyddai i fynd i Ffrainc. Un ffordd o wneud hynny oedd gwirfoddoli, fel y gwnaeth Gwendoline Davies, trwy Bwyllgor y Groes Goch Ffrengig yn Llundain. Ychydig iawn a gynigiai byddin Ffrainc er lles y milwyr cyffredin neu'r *poilu* y tu allan i'r rheng, ac anfonodd y Pwyllgor grwpiau bach o fenywod i redeg cabanau bwyd mewn gorsafoedd rheilffordd, ysbytai ymadfer a gwersylloedd tramwy lle câi'r milwyr goffi, byrbrydau a sigaréts am ddim. Roedd rhaid i'r gwirfoddolwyr hyn dalu am y cabanau lle'r oeddent yn gweithio a chanfod eu llety a'u costau byw eu hunain. Felly, menywod dosbarth canol oeddent ac roedd rhai hyd yn oed yn mynd â'u morynion gyda nhw. Gwisgent wisg y Groes Goch, sef ffrog las neu wen, ffedog wen â chroes goch fawr arni, penwisg yn cynnwys fêl o ddefnydd ysgafn a bordor lliain, a chlogyn nyrs glas tywyll. Yn nes ymlaen, ymunodd Margaret â Gwendoline yn Ffrainc. Roedd hi'n arswydo rhag i ddieithriaid alw arni i roi Cymorth Cyntaf a'r unig le y teimlai'n gyfforddus yn y wisg leianaidd hon oedd yn yr eglwys.

Ym mis Gorffennaf 1916, aeth Gwendoline Davies i Ffrainc i fod yn *directrice* ar dîm bychan oedd yn cynnwys ei chyfaill ysgol Bertha Herring a Dora Herbert Jones. Anfonwyd nhw i'r *Depôt des Isolés* yn Décesse, ar gyrion Troyes, sef gwersyll tramwy ar gyfer milwyr ar eu ffordd i fyny'r rheng i Verdun. Caban yng nghanol y gwersyll oedd eu caban nhw, y *cantine des dames anglaises.* Roedd cryn dipyn o fynd a dod ymhlith ei chyd-gynorthwywyr ond arhosodd Gwendoline yn Troyes gan ymweld â Phrydain a Pharis yn achlysurol. Daeth Margaret ati i weithio i'r caban bwyd ym mis Mehefin 1917, ac yn ei dyddiaduron cawn gofnod byw o'u bywyd ar y pryd. Nid oedd y berthynas ag awdurdodau milwrol Ffrainc bob amser yn hawdd. Am fisoedd, roedd sôn y byddai'r caban bwyd yn y Depôt yn cau ond, yn y pen draw, ym mis Awst 1917, symudwyd y *dames anglaises* i brif orsaf reilffordd Troyes, lle'r oedd ganddynt ystafell ddarllen ac ystafell fwyd ag ynddi gramoffon. Roedd rhaid i'r dames brynu bwyd ar gyfer y caban bwyd (cynorthwywyr milwrol Ffrengig fyddai'n ei goginio) a'i gadw'n lân, ond eu prif dasg oedd gweini paneidiau dirifedi o goffi a lemonêd a rhoi sigarét i bob dyn. Roeddent hefyd yn rhoi papur ysgrifennu a chylchgronau iddynt ac yn addurno'r caban â blodau a lluniau.

Chwith: Cefnder Gwendoline a Margaret, Edward Lloyd Jones, yn Gapten yn y Ffiwsilwyr Brenhinol Cymreig. Roedd y dyn ifanc ystyrlon a dawnus hwn yn ffrind agos i'r ddwy chwaer ac roedden nhw'n ei alw'n 'Dolly'. Cafodd ei ladd mewn brwydr ym Mae Suvla ym 1915 yn ystod ymgyrch y Dardanelles. Pan gafwyd hyd i'w gorff, 'roedd yr oriawr a roddodd Daisy a Gwennie iddo' yn dal ar ei arddwrn chwith. Cafodd ei farwolaeth ef a'i frawd iau Ivor a laddwyd wedi hynny ym Mhalesteina effaith fawr ar y ddwy chwaer. *Casgliad preifat*

Roeddent yn rhoi caneuon gwladgarol a rhai poblogaidd i chwarae ar y gramoffon, yn golchi llestri, yn siarad â'r milwyr ac yn gorfod ymdopi o bryd i'w gilydd â *poilu* meddw neu or-serchus.

Roedd Troyes yn y *zone des armées*, ac roedd sawl lle bwyd Prydeinig ac Americanaidd yn y cylch, ynghyd ag ysbyty Canadaidd. Roedd y *dames* yn cael peth amser hamdden ac fe wnaeth Margaret ffrindiau â rhai o'r nyrsys o Ganada. Bu'n crwydro Troyes ac yn chwarae tennis. Bu ar deithiau braslunio hefyd, ac fe gafodd gweithwyr y cabanau feiciau i fynd am dro i'r wlad. Mae ei dyddiaduron yn llawn edmygedd rhamantus o stoiciaeth a dewrder y *poilus,* milwyr cyffredin byddin Ffrainc, a milwyr trefedigaethau Ffrainc yn Algeria, Affrica ac Indo-Tsieina, ac ymddengys na wyddai ddim am y terfysgoedd oedd bron â chwalu'r fyddin yn y gwanwyn. Mae'n debyg i'r profiad a gafodd yn Troyes wneud lles i Margaret, gan ei bod yn cael ei pharchu gan y milwyr a'i chydweithwyr yn ei rhinwedd ei hunan ac nid oherwydd ei chyfoeth. Yn rhinwedd ei swydd fel *directrice*, Gwendoline oedd yn gyfrifol am reoli'r caban bwyd ac am y cyfrifon, ynghyd â'r berthynas ag awdurdodau milwrol Ffrainc, a'r Groes Goch ym Mharis. Am y tro cyntaf, roedd rhaid iddi arwain a threfnu pobl eraill. Er bod teithio'n anodd, a'i bod yn cymryd amser hir i gael trwyddedau teithio, roedd ei theithiau achlysurol i Baris yn gyfle i ymweld ag oriel Bernheim-Jeune yn y Boulevard de la Madeleine. Prynodd ddarnau gan Daumier a Carrière yno ym mis Ebrill 1917, a pheintiadau gan Renoir, Manet, Monet a Puvis de Chavannes ym mis Rhagfyr. Ym mis Chwefror 1918, prynodd ddau dirlun enwog gan Cézanne, *Hanner Dydd, L'Estaque* (gweler tudalen 59) a *Tirlun ym Mhrofens.*

Caewyd caban bwyd yr orsaf i'w drwsio tua dechrau 1918 ac ym mis Mawrth, ar ôl wythnosau yn Troyes â dim i'w wneud, cafodd y chwiorydd a'u ffrindiau ganiatâd y Groes Goch i ymuno â chaban bwyd yr Americanwyr yng ngorsaf Châlons-sur-Marne. Yma, roeddent o fewn ychydig filltiroedd o'r ffrynt a gallent glywed y gynnau. Roedd yno beth perygl hefyd gan fod yr Almaenwyr yn ymosod ar y dref o'r awyr ambell i noswaith. Mae Margaret yn sôn am gysgodi yn y caban bwyd, yn gwrando ar sŵn y gynnau peiriant, a grŵn yr awyrennau, gan ddisgwyl i'r bomiau syrthio, â dim ond ychydig o fyrddau pren yn gysgod drostynt, gan wybod bod yr orsaf yn darged. Lladdwyd dau o'r Ffrancwyr oedd yn gweithio yn y caban a gan nad oedd rhaid

De: Doedd y Prydeinwyr oedd yn gweithio i Bwyllgor Llundain y Groes Goch Ffrengig yn helpu yn y cabanau bwyta ddim yn cael eu talu ac roedd rhaid iddynt ddod o hyd i'w llety eu hunain. Llun dyfrlliw o'r Hotel Terminus, Troyes, lle bu Gwendoline a Margaret yn aros am gyfnod ym 1916-17. *Casgliad preifat*

Y dudulan nesaf: Mynedfa caban bwyta'r orsaf yn Troyes lle bu Gwendoline a Margaret yn gweithio am gyfnodau eithaf maith o fis Awst 1917 ymlaen. Mae'n fwy na thebyg mai Margaret yw'r gweithiwr yng ngwisg y Groes Goch ar y dde. Y drws nesaf i'r caban bwyta roedd y siop *Co-operative Militaire.* Yn fuan ar ôl iddynt gyrraedd, arswydodd y merched o weld bod y siop wedi dechrau gwerthu gwin, ond perswadiodd Gwendoline y Cyrnol i atal hyn. *Casgliad preifat*

Puissent
ces quelques
violettes vous
rappeler de
loin en loin
au bon
souvenir
de Miss Davies
Julie et Marie [illegible]

Ce Janvier 1913

COOPÉRATIVE MILITAIRE
PAIN 20c
SAUCISSON 50c
CONSERVES
FROMAGE
CIGARETTES
FUMEURS
SORTIE

CANTINE des DAMES ANGLAISES
Tout est Gratuit...
RF
BOUILLON
PAIN. VIANDE
ENTREE
SORTIE

iddynt aros yn Châlons, dychwelodd y chwiorydd i Troyes ddiwedd y mis. Roedd y newyddion am y rhyfel yn ddifrifol iawn erbyn hyn. Roedd Paris yn cael ei bombardio gan 'wn mawr dirgel' a'r Almaenwyr yn symud ymlaen yn eithriadol o gyflym. Buont yn ymdrechu am wythnosau i gael caniatâd i agor caban bwyta newydd mewn man arall ac ni lwyddwyd i ailagor caban bwyta'r orsaf tan fis Mai. Yn fuan wedyn, am y tro cyntaf, bu'n rhaid iddynt ymdopi â channoedd o ffoaduriaid cyffredin oedd yn ffoi rhag yr Almaenwyr. Roeddent yn teimlo i'r byw wrth weld cyflwr y merched a'r plant oedd yn dod i'r orsaf wedi blino, yn sâl ac eisiau bwyd arnynt. Roedd Troyes ei hunan yn llawn milwyr Ffrengig ac Americanaidd oedd yn teithio i'r frwydr a phan byddai'r trenau ysbyty ag arnynt filwyr clwyfedig o faes y gad yn aros yn yr orsaf, byddai gweithwyr y caban bwyd yn mynd arnynt i rannu sigaréts a rhoddion bach eraill. Bu'r chwiorydd yn ysbytai milwrol Ffrengig a Chanadaidd y dref hefyd, lle buont yn ceisio cysuro dynion oedd wedi'u hanafu'n ddrwg ac oedd ar farw. Erbyn canol Mehefin, roedd y sefyllfa filwrol yn dechrau gwella ac, ymhen y mis, aeth y chwiorydd adref ar eu gwyliau. Roedd Gwendoline yn ôl yn Troyes erbyn diwedd Awst 1918, ond ni fyddai Margaret yn dychwelyd i Ffrainc tan ar ôl y rhyfel. Bryd hynny, bu'n gweithio am dri mis mewn caban bwyd ar gyfer milwyr Prydeinig yn Rouen, o dan nawdd Eglwysi'r Alban.

Collodd llawer o fenywod o Brydain ffrindiau a pherthnasau yn y Rhyfel Byd Cyntaf, ond ychydig ohonynt a welodd drostynt eu hunain faint o anhrefn a dinistr a achoswyd gan y rhyfel. Bu Gwendoline Davies yn ninas faluriedig, ddistaw a gwag Verdun ym mis Mawrth 1917, ar ôl y frwydr yno ac, ym 1919, bu Margaret ar daith o gwmpas meysydd brwydrau'r Prydeinwyr yn y Somme ac Ypres. Cafodd y ddwy eu bomio eu hunain a buont yn cysuro milwyr oedd wedi'u clwyfo ac yn marw mewn ysbytai. Roeddent yn ymwybodol iawn o'r erchyllterau a ddaeth i ran milwyr Prydain a Ffrainc, a chawsant ysgytwad o weld dioddefaint y ffoaduriaid sifil ym 1918. Cyfrannodd straen y profiad at afiechyd Gwendoline. Dim ond *camaraderie* ei chydweithwyr a'r ymdeimlad ei bod yn gwneud rhywbeth i helpu oedd yn ei chysuro. Mor fuan â mis Rhagfyr 1917, ysgrifennodd Thomas Jones yn ei ddyddiadur: 'Gwelais fod ei bywyd yn Ffrainc wedi effeithio'n fawr ar Miss Davies a'i bod yn benderfynol o wneud popeth o fewn ei gallu dros y milwyr gartref ar ôl y rhyfel'. Er bod Gwendoline wedi dal ati i gasglu lluniau ar ôl y rhyfel, roedd yn teimlo'n fwyfwy euog am wneud hynny. Ysgrifennodd at Thomas Jones ym mis Tachwedd 1921: 'Diolch am sôn wrthym am luniau John – nid wyf wedi prynu lluniau ers

De, top: Milwyr Ffrengig wedi ymgasglu o gwmpas y '*Cantine des Dames Anglaises*', *Dépôt des Isolés, Usine Decesse*, Troyes. Bu Gwendoline yn *directrice* y caban bwyta hwn oedd yn cael ei redeg gan y Groes Goch mewn gwersyll tramwy ger Troyes o fis Gorffennaf 1916 tan fis Awst 1917, pan symudodd hi a'i chydweithwyr i gaban bwyta arall ym mhrif orsaf reilffordd y dref. *Casgliad preifat*

De, gwaelod: Roedd y dynion a alwai yng nghabanau bwyta Troyes ar eu ffordd yn ôl a blaen i feysydd y brwydrau yn Verdun a'r Meuse. Ysgrifennodd llawer ohonynt negeseuon yn llyfrau llofnodion y chwiorydd neu anfon llythyron diolch atynt. Tynnodd un ohonynt, Leo Levée, y braslun hwn o filwyr yn gorymdeithio i'w roi i Gwendoline ym 1918. *Casgliad preifat*

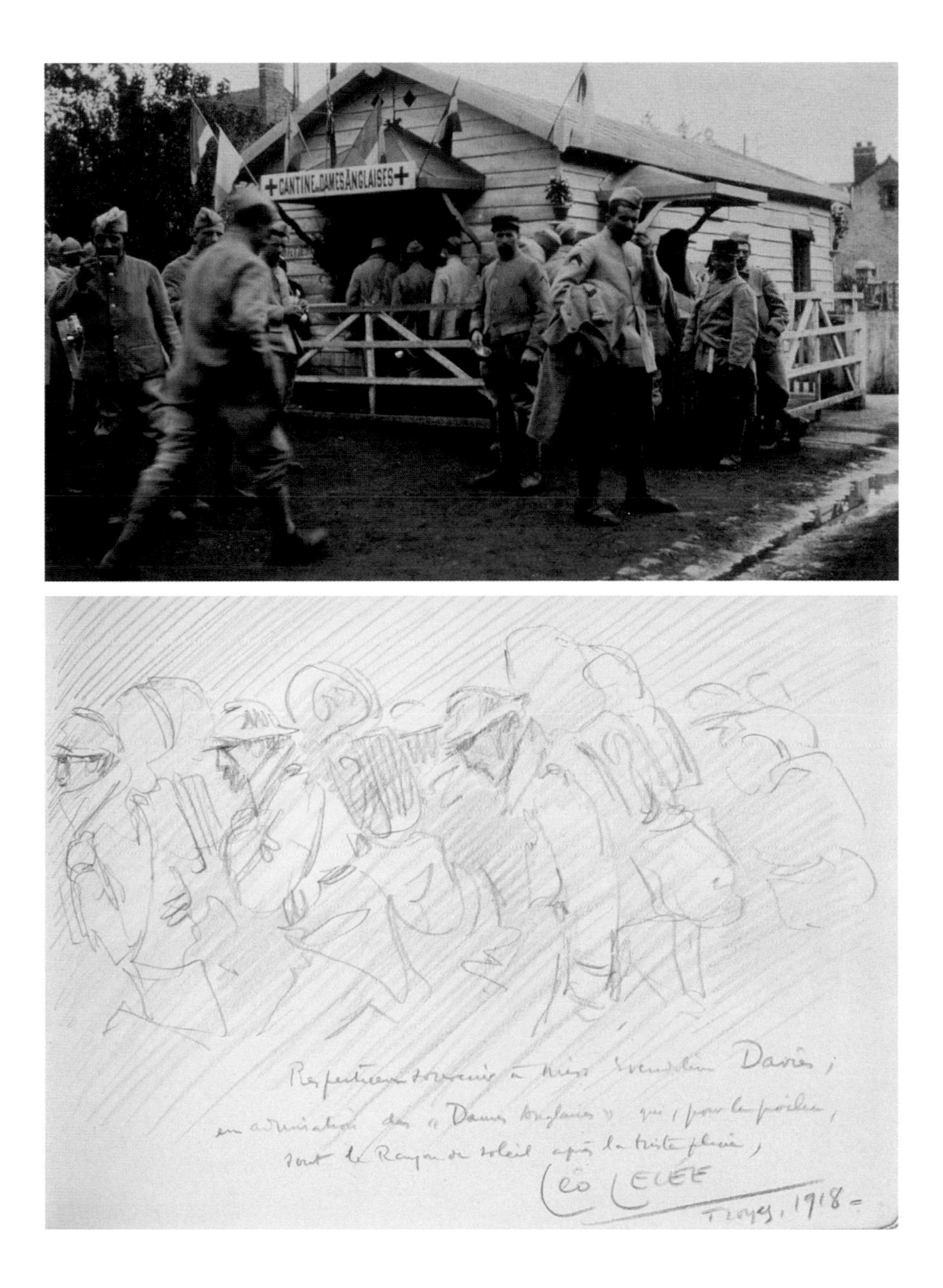
CANTINE DES DAMES ANGLAISES
Troyes, 1918

deunaw mis. Ni allwn wneud hynny oherwydd yr angen dychrynllyd sydd ym mhob man, plant Rwsia, cyn-filwyr Iarll Haig, pawb ohonynt mor ofnadwy o ddynol.' Effeithiodd ei flwyddyn ar y Ffrynt ar eu brawd, David, hefyd ac ymdaflodd i'r gwaith o hyrwyddo heddwch rhyngwladol a Chynghrair y Cenhedloedd. Chwilio am ffordd o drwsio bywydau cyn-filwyr a ddioddefodd yn hallt yn y rhyfel, trwy ddysgu crefftau iddynt a thrwy gerddoriaeth, wnaeth y chwiorydd. Dyma oedd yr hedyn y tyfodd Gregynog ohono i fod yn ganolfan ar gyfer y celfyddydau ac yn lle i drafod problemau cymdeithasol.

Chwith, top: Bu byddin Ffrainc yn brwydro'n benderfynol am ran fawr o 1916 i atal yr Almaenwyr rhag torri eu llinell y tu allan i Verdun. Ymwelodd Gwendoline â'r ddinas oedd wedi'i difrodi a bron yn wag ar 9 a 10 Mawrth 1917, ac fe gafodd y cerdyn post hwn i gofio ei hymweliad. *Casgliad preifat*

Chwith, gwaelod: Llun a dynnodd Margaret ar ymweliad ag adfeilion Cadeirlan Arras ym 1919. *Casgliad preifat*

Uchod: Ar ôl y Cadoediad, bu Margaret yn gweithio mewn caban bwyta yn Rouen oedd yn cael ei redeg gan Eglwysi'r Alban rhwng Mawrth a Mai 1919. Efallai mai hi sy'n sefyll yn y cefn yn y llun hwn o filwyr Prydain yn mwynhau pryd o fwyd i ddathlu. Er bod milwyr Prydain yn galw yn y caban bwyta yn yr orsaf yn Troyes neu yn ysbytai'r dref o bryd i'w gilydd, roedd y chwiorydd yn dweud yn aml yr hoffent wneud mwy dros '*our Tommies*'. *Casgliad preifat*

'HARDDWCH SYMLRWYDD'

DELFRYDAU CELF A CHREFFT I GYMRU

AHWYTHAU'N GWEITHIO yn y cabanau bwyta yn Ffrainc yn ystod y rhyfel, roedd Gwendoline a Margaret eisoes yn meddwl am ffyrdd o helpu milwyr ac eraill yr oedd y rhyfel wedi effeithio arnynt i ddod dros y profiad. Un syniad a gawsant oedd sefydlu cymuned gelf a chrefft wledig lle gallai'r aelodau wneud bywoliaeth o waith creadigol a dysgu sgiliau newydd mewn awyrgylch heddychlon. Yn eu gohebiaeth â Thomas Jones ('T.J.') buont yn trafod y posibilrwydd o ddefnyddio Gregynog at y diben hwn. Mae Stad Gregynog ryw bedair milltir o'r Drenewydd, nid nepell o gartref y teulu yn Llandinam, ac roedd Gwendoline yn nabod y lle er pan oedd yn blentyn. Prynodd David Davies y stad fel buddsoddiad ym 1914 a'i osod i denantiaid. Ond nid oedd Gregynog yn ddelfrydol at ddibenion y chwiorydd. Roedd yn rhy bell o orsaf reilffordd, yn rhy fawr ac yn costio gormod i'w gynnal a'i gadw. Yn ei llythyron at T.J., cyfeiriodd Gwendoline at Gregynog fel yr 'eliffant gwyn' ac awgrymodd y dylent 'chwilio am le haws i'w redeg a llai ymhongar'. Roeddent yn dibynnu'n fawr ar gyngor T.J. a phan oeddent mewn trafferthion, ysgrifennodd Gwendoline ato 'Mae'n ddrwg gennyf greu trafferth ond chi gychwynnodd y syniad!' Serch hynny, ar ôl sylweddoli na fyddai'n hawdd dod o hyd i dŷ addas arall yn y cylch, prynodd y chwiorydd Gregynog oddi wrth eu brawd ym 1920.

Gobaith y chwiorydd oedd y byddai creu cymuned gelf a chrefft yng Ngregynog yn hybu'r uchelgais oedd ganddynt cyn y rhyfel o adfywio'r celfyddydau yn y gogledd, ond rhan yn unig o'u cynllun i gyflawni hyn oedd Gregynog. Tanlinellodd yr artist a'r addysgwr Frederick Richards eu pryder am gyflwr y celfyddydau gweledol yng Nghymru mewn adroddiad ym 1918 oedd yn tynnu sylw at broblemau dysgu celfyddyd yng Nghymru. Ddwy flynedd cyn hynny, roedd Gwendoline wedi cysylltu â'r Athro H. J. Fleure yng Ngholeg Prifysgol Cymru, Aberystwyth, i holi am y ffordd orau o symud ymlaen i ddysgu celfyddyd yn Aberystwyth. Roedd gan y chwiorydd Davies gysylltiadau clos ag Aberystwyth eisoes ac roedd eu taid wedi cyfrannu'n hael at sefydlu Coleg y Brifysgol yno. Roedd Fleure a T.J. yn credu'n gryf yn egwyddorion y mudiad Celfyddyd a Chrefft oedd yn pwysleisio dylanwad dyneiddiol crefftwaith llaw. Bu T.J. yn astudio ac yn darlithio yn Glasgow lle bu gwaith Charles Rennie Mackintosh yn ddylanwad arno. Aeth ef a'i wraig ati i ddodrefnu eu cartref ag enghreifftiau o grefftwaith 'onest' a daethant, yn eu geiriau eu hunain yn '*furniture-conscious*'. Ym marn Fleure a T.J., roedd sicrhau bod celfyddyd fel pwnc yn cael ei ddysgu'n well yn ffordd o gychwyn adfywiad celf a chrefft, ond roeddent yn sylweddoli nad tasg hawdd fyddai cychwyn hyn yng Nghymru lle, fel yr ysgrifennodd Fleure at T.J. 'mae cyn lleied i fachu ynddo'.

Daw teitl y bennod o lythyr Gwendoline at T.J. yn Ebrill 1920, sy'n dweud 'Mae'n rhaid i Gregynog fod yn hardd, ond gyda harddwch ar sail symlrwydd a defnyddioldeb'. Mae'r ffotograff yn dangos rhai o'r celfi Bryn Mawr a gomisiynodd y chwiorydd yn arbennig ar gyfer ystafelloedd Gregynog. *Ray Edgar*

Ers diwedd y bedwaredd ganrif ar bymtheg, yn yr Adran Addysg y dysgwyd celfyddyd yn Aberystwyth. Tua 1917, crëwyd isadran Celf a Chrefft â Dan Jones yn dysgu lluniadu. Roedd nifer fechan o fyfyrwyr llawn-amser a rhan-amser yn cael dysgu ysgythru, rhwymo llyfrau, modelu â chlai, gwehyddu, gwneud dodrefn a chrefftau eraill. Câi Dan Jones ei gynorthwyo gan Valerius de Saedeleer, artist oedd yn ffoadur o Wlad Belg, a'i ferched. Teimlai Fleure a T.J. y byddai'r myfyrwyr celfyddyd yn elwa o gael casgliad addysgu a fyddai'n rhoi iddynt 'fraslun o grefftwaith pobl o wahanol gyfnodau ac ardaloedd'. Ar eu cais nhw, rhoddodd y chwiorydd Davies £5,000 i greu casgliad ar gyfer yr Amgueddfa Gelf a Chrefft. Ar argymhelliad T.J., penodwyd y pensaer Sidney Greenslade yn 'Guradur Ymgynghorol' yr Amgueddfa. Ef oedd pensaer cyntaf y Llyfrgell Genedlaethol yn Aberystwyth ac ef a gynlluniodd gartref T.J. yn Thanet, Caint. Erbyn hyn, mae'n siŵr ei fod yn fwy adnabyddus fel ffrind a noddwr i lawer o grefftwyr y cyfnod. Roedd Greenslade wrth ei fodd yn casglu crochenwaith a gwaith gwydr ac ef oedd y person delfrydol i adeiladu'r casgliad Celf a Chrefft yn Aberystwyth.

Uchod: Mae hanes maith a chymhleth i adeilad Neuadd Gregynog. Cafodd ei ailadeiladu yn y 1830au a tua 1860-70, rhoddwyd caenen o goncrit drosto. Roedd yn un o'r adeiladau cyntaf ym Mhrydain i gael ei drin fel hyn. Mae'r tu allan yn cael ei beintio i wneud iddo edrych fel tŷ ffrâm bren sy'n nodweddiadol o'r ardal. Pan oedd y chwiorydd Davies yn byw yng Ngregynog, roedd nifer fawr o simneiau ar y to ond cafodd y rhain eu tynnu wedyn. Daw'r ffotograff yma o Gatalog Stad Gregynog o 1913.
Prifysgol Cymru, Gregynog

I ddechrau, prynodd Greenslade lyfrau moethus o weisg preifat, fel Gweisg Eragny a Doves, cyhoeddiadau ar hanes crefftau a llawlyfrau ar dechnegau. Ychwanegwyd defnyddiau archaeolegol, gwaith gwydr o'r ddeunawfed ganrif a'r bedwaredd ganrif ar bymtheg a gwaith cainlythrennu cyfoes at y casgliad. Prynodd eitemau ethnograffig, gan gynnwys offerynnau cerdd ac arfau, i ddangos sut roedd gwahanol ddefnyddiau a thechnegau'n cael eu defnyddio ledled y byd. Prynwyd pethau hen a newydd fel y gallai'r myfyrwyr eu cymharu. Aeth i siopau hen greiriau, orielau, arddangosfeydd a stiwdios artistiaid yn Llundain ac yn ei dref ei hun, Caer-wysg, i brynu crefftau ar gyfer yr Amgueddfa. Printiadau a chrochenwaith cyfoes oedd yr eitemau pwysicaf a brynodd Greenslade. Yn y blynyddoedd rhwng y ddau ryfel, gwelwyd llewyrch yn y mudiad crochenwaith stiwdio ym Mhrydain, o dan arweiniad Bernard Leach, Michael Cardew, William Staite Murray, Charles Vyse a Reginald Wells. Gan fod Greenslade yn nabod cynifer

Uchod: Yr Adran Gelf a Chrefft yn Aberystwyth tua 1935 gydag enghreifftiau o ddodrefn a thecstilau a wnaed gan y myfyrwyr.

De, top: Printiau gan bensaer a darluniwr o'r enw F. L. Griggs (1876-1938) oedd y rhai cyntaf a brynodd Greenslade ar gyfer y casgliad yn Aberystwyth. Yn eu plith roedd yr ysgythriad hwn, *Priory Farm*, o 1917. Roedd Griggs yn ymwneud â Guild of Handicraft C. R. Ashbee ac mae'r darn hwn yn dangos ei ddawn dechnegol ryfeddol a'i ddychymyg byw. *Prifysgol Cymru, Aberystwyth*

De, gwaelod: Dau botyn pridd gan Reginald Wells, tua 1922. Prynodd Greenslade 23 o ddarnau o waith 'Soon' fel hyn a ysbrydolwyd gan ffurfiau a mathau o wydredd a ddefnyddiwyd gan deyrnlin Song yn China. Prynwyd y potiau a'u standiau pren o'r *Artificers' Guild* ac Oriel y Beaux Arts yn Llundain. *Prifysgol Cymru, Aberystwyth*

o artistiaid yn bersonol, roedd yn aml yn prynu gwaith yn uniongyrchol gan y gwneuthurwr. Roedd yn arbennig o agos at y brodyr Martin, arloeswyr ym maes crochenwaith stiwdio tua diwedd y bedwaredd ganrif ar bymtheg, ac fe luniodd gasgliad da o'u gwaith nhw ar gyfer yr amgueddfa. Ymddiddorai Dan Jones mewn crefftau Cymreig a chafodd ef y dasg o greu casgliad o grefftau gwerin Cymru. Lluniodd gasgliad da o slipwaith Cymreig i adrodd stori crochenwaith yng Nghymru a phrynodd dipyn o waith metel a gwaith coed Cymreig. Teimlai Jones ei bod yn hanfodol y dylai'r casgliad addysgu yn ogystal â helpu pobl i werthfawrogi pethau hardd ac y 'gallai addysgu ac ysbrydoli er lles yr oesoedd a ddêl'.

Tra oedd Greenslade yn datblygu'r casgliad yn Aberystwyth, roedd hefyd yn helpu'r chwiorydd i droi Gregynog yn ganolfan gelfyddydau wledig fel yr oeddent wedi'i ddychmygu. Gwnaed yr hen ystafell filiards yn fwy a'i throi'n ystafell gerdd a gwnaed amryw o newidiadau i'r tŷ i'w wneud yn addas at y diben newydd. Roedd ar Gwendoline a Margaret angen rhywun i drefnu hyfforddiant yn y gwahanol grefftau yr oeddent yn gobeithio'u sefydlu yng Ngregynog. Argymhellodd Hugh Blaker pensaer o'r enw Robert Maynard. Roedd Maynard wedi treulio deunaw mis yn y Central School of Arts and Crafts yn Llundain yn dysgu gwahanol grefftau ond ei brif ddiddordeb oedd ysgythru ar bren ac argraffu. Dychwelodd i Gregynog i fod yn Rheolwr cyntaf Gwasg Gregynog (neu *Gregynog Press* fel y'i gelwid ar y pryd). Credir bod peth crochenwaith wedi cael ei wneud yng Ngregynog hefyd, ond bu'n aflwyddiannus. Roedd gwneud dodrefn yn un arall o'r crefftau yr oedd bwriad i roi cynnig arni. Daeth Peter Waals, gwneuthurwr dodrefn a fu'n gweithio i Ernest Gimson, i Gregynog i ystyried y posibilrwydd o sefydlu gweithdy. Dywedodd fod y gwaith a welodd yn yr ardal yn is na safon gwaith ardal y Cotswolds a bod traddodiad, sy'n 'rhoi arweiniad ffyddlon i grefftau llaw', wedi'i golli'n llwyr. Er na ddaeth Gregynog yn ganolfan gelfyddydau mor amrywiol ag y gobeithiai'r chwiorydd, daeth yn ganolfan gynadledda ar gyfer eu llu o brojectau dyngarol ac yn gartref i Wasg Gregynog ac i gyngherddau, ysgolion haf a phartïon penwythnos.

Nid oedd yn fwriad gan y chwiorydd fyw yng Ngregynog wrth brynu'r tŷ ym 1920. Roeddent yn dal i fyw ym Mhlas Dinam gyda'u llysfam ond, ym 1924, ar ôl i David Davies ailbriodi, roeddent yn teimlo y dylent adael. Symudodd y ddwy chwaer, gyda'u casgliad o waith celfyddyd a pheth dodrefn, i Gregynog. Roedd Gwendoline a Margaret yn ferched preifat iawn ac maent yn sôn mewn llythyron at T.J. ei bod yn chwith iddynt golli eu preifatrwydd pan oedd y tŷ'n

De, top: Mae catalog Stad Gregynog ar gyfer 1913 yn rhoi syniad i ni sut roedd y tŷ wedi'i ddodrefnu cyn i'r chwiorydd ei brynu. Aethant ati i ymestyn yr hen ystafell filiards a welir yma a'i throi'n ystafell gerdd. *Prifysgol Cymru, Gregynog*

De, gwaelod: Roedd cynadleddau yn ogystal â digwyddiadau cerddorol yn cael eu cynnal yn yr ystafell gerdd. Y prif ddodrefn yn yr ystafell hon oedd cadeiriau gwiail ymarferol a glanwaith a wnaed gan y *Dryad Cane Furniture Company*. *Prifysgol Cymru, Gregynog*

llawn pobl. Efallai bod hyn yn esbonio pam nad oes bron ddim ffotograffau ar gael o'r tu mewn i Gregynog ar y pryd ac felly ei bod yn anodd meddwl sut yn union yr oedd yn edrych. Roedd y chwiorydd yn dewis addurno Gregynog mewn ffordd syml fel na fyddai'n llethu eu hymwelwyr. Ysgrifennodd Gwendoline at T.J., gan ddefnyddio geirfa nodweddiadol o'r Mudiad Celfyddyd a Chrefft 'Mae'n rhaid i Gregynog fod yn hardd ond gyda harddwch ar sail symlrwydd a defnyddioldeb' a 'Byddai'n gamgymeriad difrifol i'w ddodrefnu fel hydro neu dŷ preifat moethus. Byddai hynny'n debygol o'u gwneud yn anfodlon â'u cartrefi nhw'u hunain.' Aeth Gwendoline a Margaret i Heal's yn Llundain 'dim ond i gael syniad bras o brisiau pethau yn awr' ond ni wnaeth hynny godi'u calon. Er gwaethaf adroddiad negyddol Peter Waals, cafodd ei gomisiynu gan y chwiorydd tua dechrau'r 1920au i wneud rhai darnau o ddodrefn ar gyfer y llofftydd a'r llyfrgell. Prynwyd dodrefn Bryn Mawr ar gyfer y llofftydd hefyd. Roedd gwneud dodrefn yn rhan o Arbrawf Bryn Mawr, sef ymgais i fynd i'r afael â'r diweithdra mawr yng nghymuned lofaol y de trwy greu diwydiannau gwledig. Roedd y chwiorydd eisoes yn ymwneud â chynllun Bryn Mawr – nhw oedd yn gyfrifol i raddau helaeth am ei ariannu, ac felly roedd prynu dodrefn yno ar gyfer Gregynog yn cyfateb i'w delfryd o gefnogi crefftwyr lleol. Defnyddiwyd cadeiriau a wnaed gan y *Dryad Cane Furniture* o Gaerlŷr yn yr ystafell gerdd a'r llofftydd. Mae dodrefn Waals, Bryn Mawr a Dryad yn syber, yn ymarferol ac mae'r crefftwaith yn onest. Felly roedd yn bodloni gofynion y chwiorydd o ran dodrefnu Gregynog mewn ffordd syml. Yn ogystal â'r darnau cyfoes hyn, roedd darnau o hen ddodrefn o Blas Dinam ac o fflat y chwiorydd yn Llundain yng Ngregynog. Roeddent yn hoffi dodrefn mahogani eithaf plaen ond chwaethus. Yng Ngregynog yr oedd eu casgliad o serameg Tsieineaidd ac Islamaidd a phethau hynafol eraill, a rhoddwyd rhai o'r rhain i'r Amgueddfa Genedlaethol ar ôl i Gwendoline farw. Ymhlith eu casgliad o grochenwaith cyfoes, roedd darnau o grochendai Poole ac Ewenni a jwg nodedig ar ffurf pelican gan Charles Vyse. Roeddent hefyd yn berchen ar waith arian gan y dylunydd Danaidd, Georg Jensen. Roedd carpedi Persiaidd ar y llawr gwaelod a rygiau modernaidd yn y llofftydd. I'r llu o ymwelwyr, mae'n siŵr bod ystafelloedd eclectig Gregynog yn gyfuniad diddorol o'r hen a'r newydd.

Er nad byw yng Ngregynog oedd y bwriad gwreiddiol, roedd Gwendoline yn edrych ymlaen at gael ei gardd ei hun 'i gynllunio a gweithio ynddi'. Ni wnaeth y chwiorydd newidiadau mawr i'r 750 erw o erddi a choetiroedd oedd eisoes yng Ngregynog. Gwnaed gwaith tirlunio ar raddfa fawr ym 1774 pan gafodd cynlluniau William Emes eu gweithredu'n rhannol, gan gynnwys y lawntiau isel o flaen y tŷ. Plannwyd y clawdd cyfylchog hardd o goed yw euraid tua 1900. Yn rhyfedd iawn, cyflogwyd merch yn brif arddwr gan y chwiorydd. Miss Clark oedd ei henw. Roedd gan Gwendoline ddiddordeb mawr mewn garddio a byddai'n mynd i sioeau garddio ac

De: Mae'n debygol mai Sidney Greenslade a ddyluniodd ddwy ystafell ymolchi fodern ar gyfer Gwendoline a Margaret tua 1924 pan symudodd y chwiorydd i Gregynog.

yn prynu llyfrau ar y pwnc. Un o'i phrojectau hi oedd cynllunio'r pwll lilïau – efallai ei bod wedi'i hysbrydoli gan y tri darlun gan Monet o lilïau'r dŵr a brynodd ym 1913. Bu pensaer tirlunio o'r enw H. Avray Tipping, oedd yn perthyn i'r mudiad Celfyddyd a Chrefft ac oedd yn gyfaill ac yn gynghorydd i Gwendoline, yn cydweithio ar yr ardd ym 1930 â George C. Austin, olynydd Miss Clark fel prif arddwr. Gyda'i gilydd, aethant ati i greu glyn a phantle coediog. Yn ogystal, roedd yno ardd gegin a thai gwydr i dyfu llysiau, ffrwythau a blodau ar gyfer y tŷ. Roedd yr ardd yn ei hanterth tua diwedd y 1930au pan oedd hyd at bump ar hugain o staff yn cael eu cyflogi yno, gyda phobl ddi-waith o'r Drenewydd yn eu helpu weithiau.

A hwythau'n parhau â'u gwaith yng Ngregynog, roedd y gwaith o hyrwyddo gwaith celf a chrefft yng Ngholeg Prifysgol Cymru'n mynd trwy gyfnod anodd. Mynegodd T.J. farn y chwiorydd mewn llythyr ym 1935: 'mae'r holl fusnes celfyddyd 'ma wedi'i blagio gan gamgymeriadau a phobl dila'. Cawsant eu siomi'n arw pan na phenodwyd T.J. yn Brifathro ym 1919, a gadawodd Fleure, wedi'i ddadrithio, ymhen ychydig flynyddoedd. Ym mis Gorffennaf 1933, gwahanwyd yr Adran Gelf a Chrefft oddi wrth yr Adran Addysg a phenodwyd Dan Jones yn ben arni, ond bu farw'n sydyn y flwyddyn wedyn ac ni phenodwyd olynydd iddo.

Bu'n rhaid i lawer o waith Gregynog gael ei roi heibio oherwydd yr Ail Ryfel Byd. Erbyn canol y 1930au, roedd yn amlwg mai llwyddiant rhannol a gafodd y cynllun i feithrin adfywiad ym myd celf a chrefft yng Nghymru. Ar ôl ymweld â Dartington Hall, Dyfnaint, a sefydlwyd gyda'r un gobeithion â Gregynog, ysgrifennodd Gwendoline at T.J. ym 1936: 'Roedd yn fy atgoffa o'r hen ddyddiau pan fyddem ni'n breuddwydio am Gregynog ond, wedi'r cyfan, mae wedi cyflawni rhai pethau ac mae ysbryd y lle yn dod â chysur a heddwch i lawer o eneidiau blinderus'. T.J. oedd prif ysgogydd sefydlu Gregynog a chychwyn yr Amgueddfa Gelf a Chrefft yn Aberystwyth. Er eu bod braidd yn siomedig na fu i'r amgueddfa gyflawni mwy, roedd Gregynog yn cyflogi pobl o'r ardal ac mae'n dal i gael dylanwad llesol yn yr ardal oherwydd y Wasg, y gweithgareddau cerddorol, y gwahanol gynadleddau a'r llu o ymwelwyr a groesewir yno.

Chwaith: Rhoddwyd cadeiriau ffasiynol ac ymarferol y *Dryad Cane Furniture Company* yn yr ystafell gerdd a'r llofftydd. Sefydlwyd y busnes gan Harry H. Peach, oedd yn chwarae rhan amlwg mewn nifer o brojectau i gefnogi addysg ym meysydd crefft a dylunio ym Mhrydain.

Tudalennau nesaf: Roedd dodrefn Bryn Mawr yn cael ei wneud o dan arweiniad y dylunydd Paul Matt. Byddai'n dylunio dodrefn syml y gallai gweithwyr lleol, heb lawer o sgiliau, eu hadeiladu'n hawdd.

Ar gyfer y llyfrgell, gwnaeth Peter Waals ddeunaw o gadeiriau unigol a dwy gadair freichiau mewn pren collen Ffrengig â seddau gwellt, a bwrdd derw. Defnyddiai stwff da ac roedd yn tynnu sylw at fanylion yr adeiladwaith, fel yr uniadau cynffonnog, er mwyn dangos y crefftwaith.

Tudalennau 94 a 95: Manylion o Neuadd a stad Gregynog. *Ray Edgar*

‘NAWDD DOETH A NODDFA HAEL’

GREGYNOG RHWNG Y DDAU RYFEL

YNG NGREGYNOG, ROEDD y ddwy Miss Davies yn llywio menter fawr ac effeithiol. Gallasent fod wedi trin y plasty gwledig mawreddog o'r bedwaredd ganrif ar bymtheg fel dim ond cartref iddynt, encilfa dawel lle gallent dderbyn cwmni dethol. Ond eu dymuniad oedd ei rannu ag eraill er budd llawer. Mae llyfr ymwelwyr Gregynog yn dangos bod yno lif cyson o westeion – hyd at ddeugain yn aros yno ar adegau ac eraill yn lletya gerllaw. Denwyd pobl flaenllaw o bell ac agos i'r gwyliau cerddorol a'r cynadleddau cenedlaethol a rhyngwladol. Soniodd un ymwelydd, Ernest Rhys, am y chwiorydd mewn llythyr at Thomas Jones – T.J. – gan ddweud mai peth anghyffredin oedd canfod 'nawdd mor ddoeth a noddfa mor hael'. Fel T.J., roedd y chwiorydd yn frwd o blaid mentrau cymdeithasol, economaidd, gwleidyddol, addysgiadol a diwylliannol yng Nghymru. Roedd cynadleddau yng Ngregynog ymhlith llu o achosion a gefnogent yn y gobaith y byddent yn helpu i adeiladu Cymru newydd ar ôl y Rhyfel Mawr.

Roedd Undeb Cynghrair y Cenhedloedd, y Cyngor Cerddoriaeth Cenedlaethol, Ysgol Gwasanaeth Cymdeithasol Cymru, Cymdeithas Nyrsio Sir Faldwyn, Mudiad Gwersylla Bechgyn Ysgol Cymru, Cyngor Cenhadol Unedig Cymru a'r *Rural Community Councils in Wales of Educational Settlements* yn cwrdd yn rheolaidd yng Ngregynog yn ystod y 1920au a'r 1930au. Deuai llawer o addysgwyr, gwleidyddion ac ymgyrchwyr heddwch a lles cymdeithasol amlwg o statws cenedlaethol a rhyngwladol yno. Daeth Ystafell Gerdd Gregynog, â darluniau'r Argraffiadwyr a'r Hen Feistri ar y waliau, yn ganolfan berfformio, cynadledda, trafod a dadlau. Ym mis Medi 1930, er enghraifft, bu Cynhadledd Ryngwladol Ymddiriedolaeth Goffa Burge yn trafod a fyddai Unol Daleithiau Ewrop yn gweithio: roedd Dr Freiherr W. von Grunau, mab ieuengaf y Tywysog Lowenstein-Wertheim, a Dr Albrecht Mendelssohn-Bartholdy, Athro mewn Cyfraith Ryngwladol ac ŵyr y cyfansoddwr, ymhlith y cynadleddwyr. Cyfarfu Cyngor Cenedlaethol Gwasanaeth Cymdeithasol Cymru ym mis Chwefror 1934 i drafod rhoi cymorth i bobl ddi-waith yn ardaloedd dirwasgedig y de. Bu Syr Crawford Eady yn sôn am y Mesur Diweithdra ac roedd William Waldorf Astor yn bresennol. Roedd Violet Markham yn wleidydd, yn ddiwygiwr cymdeithasol ac yn ymgyrchydd dros hawliau merched ac fe gymerodd hi ran yng Nghynhadledd Gwaith Cymdeithasol Ardaloedd Dirwasgedig De Cymru ym 1934 ac ym Mhedwaredd Gynhadledd Flynyddol y Gweithwyr Cymdeithasol. Ym mis Rhagfyr 1937, roedd Syr John Reith, Cyfarwyddwr Cyffredinol y BBC ar y pryd, ymhlith y siaradwyr yng Nghynhadledd y BBC ar Gymru a Darlledu.

Daw teitl y bennod o lythyr gan un o ymwelwyr Gregynog, Ernest Rhys, at T.J. Yn y ffotograff (gyda'r cloc o'r chwith yn y cefn) mae Lascelles Abercrombie, George Bernard Shaw, Dora Herbert Jones, Thomas Jones, Gwendoline Davies, Margaret Davies, Jenny 'Jane' Blaker and Irene Jones. Câi sach bost gaeedig ei hanfon o'r Neuadd i swyddfa bost Tregynon bob dydd. Byddai'r heddlu lleol yn ymddiddori'n fawr yn yr enwogion oedd yn ymweld â Gregynog. *Casgliad preifat*

Roedd Cyngor Cenedlaethol Cymru Undeb Cynghrair y Cenhedloedd, un o'r mudiadau heddwch mwyaf dylanwadol, yn cyfarfod yng Ngregynog bob blwyddyn. Yn ôl Alun Oldfield Davies, darlledwr, awdur a Rheolwr rhanbarthol y BBC yng Nghymru, a fu'n mynychu'r gynhadledd trwy gydol y 1930au, roedd yn 'siop siarad' ac yn 'gynhadledd eithaf dylanwadol yn y cyfnod hwnnw'. Roedd disgwyl i gynadleddwyr a gwesteion personol ddod i wasanaethau'r Sul a byddai Gwendoline a Dora Herbert Jones yn pendroni am wythnosau dros ddarlleniadau, gweddïau a cherddoriaeth addas ar eu cyfer. Roedd y bwriad yn dda ond teimlai rhai o'r ymwelwyr eu bod yn gyfarfodydd syber a wnâi iddynt deimlo'n anghyfforddus. Byddai'r chwiorydd 'wedi dychryn am eu bywyd,' meddai Oldfield Davies, 'pe gwyddent am y gwahaniaeth mawr rhwng y gwasanaethau fore Sul a'r hyn a ddigwyddai yn yr Oruwch Ystafell

Uchod: Brigâd Dân Gregynog. Cafodd Brigâd Dân wedi ei hyfforddi'n llawn ei chreu o blith gweithwyr y Stad. Roedd Stad Gregynog yn hunangynhaliol i raddau helaeth, ag arni fwy o staff nag y gallai'r rhan fwyaf o foneddigion y cyfnod fforddio'u cadw. Byddai'r prif arddwr a'i dîm yn dod â chynnyrch ffres o'r ardd gegin a'r tai gwydr bob dydd; ac roedd cogydd, bwtler, howscipar a morwynion y gegin a'r tŷ yn gofalu am y chwiorydd a'r gwesteion. Roedd dau *chauffeur* a thri *limousine* wrth law, ynghyd â rheolwr y stad, gwylwyr nos, rheolwr plâu a dyn cadw'r bwyler er mwyn sicrhau bod Gregynog yn rhedeg fel cloc. *Casgliad preifat*

lawn mŵg lle byddai dynion yn yfed lemonêd. 'Yno y clywais rai o'r straeon butraf a glywais erioed.' Fel math o 'ryddhad o'r teimlad syber, caeth, crefyddol, da a'r moesgarwch oedd yn y tŷ,' byddai 'arweinwyr y bywyd Cymreig, diaconiaid a phobl barchus yn taflu baich euogrwydd neu'n plymio i'w hisymwybod gan ganfod rhywfaint, efallai, o ysbryd y ffosydd mewn cynhadledd a oedd yn trafod ewyllys da a heddwch ymhlith dynion.'

Roedd rhaid cynllunio a pharatoi'n drwyadl ar gyfer pob achlysur. Er mai gwantan oedd ei hiechyd, Gwendoline oedd yn ysgwyddo pen trymaf y baich. Oherwydd ei brwdfrydedd a'i hymroddiad hi yr oedd cynlluniau'n llwyddo. Byddai'r chwiorydd yn mwynhau cwmni ond, mewn llythyr at T.J. ym 1934, cwynai Gwendoline nad oedd gan Margaret syniad o'r egni, y cerrynt trydan yr oedd yn rhaid iddo lifo trwy bethau i wneud Gregynog yn fyw. Meddai '*Daisy is a brick and does splendid work but a brick is inclined to be and must be unbending and rigid.*' Roedd Margaret yn fwy cysurus gyda'r ymwelwyr, yn gymdeithasol ac yn fydol a Gwendoline yn tueddu i ddal yn ôl. Roedd ganddi ddisgwyliadau uchel o gynadleddwyr ac ni chât'r rhain eu cyflawni bob amser. Ym 1925, ysgrifennodd at T.J. gan gwyno 'Eisteddai pawb o gwmpas y tân gan ysmygu a siarad a siarad a siarad ac ysmygu tan hanner nos bob nos – pobl hyfryd â digon o syniadau ac ewyllys da, ond eu bod yn amwys ac yn niwlog.' 'Nid wyf yn gwybod pa fath ddyn y disgwyliwn i Gyfarwyddwr Addysg fod,' ysgrifennodd ym 1931, 'ond roedd yn swnio mor addawol – yr arweinwyr ... y rhai sy'n gosod y sylfeini ar gyfer yr amser sydd i ddod. Fe ddaethant – ac ni fu erioed y fath gasgliad o bobl galed, ddiddychymyg, rhagfarnllyd, hunanfodlon, cul eu meddwl yn y tŷ hwn.'

Yr unig bobl yr oedd Gwendoline a Margaret yn hollol gyfforddus gyda nhw oedd rhai o blith eu cylch bychan o ffrindiau a pherthnasau. Deuai cyfaill ysgol Gwen, Gina Barbour, a ffrind Margaret, Bertha Herring (a aeth gyda'r chwiorydd ar daith i'r Dwyrain Canol ym 1928), yno'n rheolaidd rhwng 1925 a 1961. Ym 1931, aethant gyda'r chwiorydd a Violet Markham ar fordaith ar Fôr y Canoldir. Roedd Charlotte a George Bernard Shaw ar yr un daith. Y mis Ebrill wedyn, mwynhaodd Markham benwythnos yng Ngregynog. 'Nid ydych yn llawn sylweddoli bri'r wraig', ysgrifennodd Markham am Gwendoline, 'hyd nes i chi ei gweld yn ei thŷ ei hunan... Mae bod mor eithriadol o gyfoethog a pheidio â gadael i'r cyfoeth ei llygru o gwbl yn dystiolaeth arbennig o gryfder ei chymeriad. Pan feddyliwch am bopeth y mae wedi'i wneud a'i

De: Bu Shaw a'i wraig ymhlith y nifer a gafodd wahoddiad i Gregynog trwy law T.J. Daeth Shaw i'r Neuadd ym 1930, 1932 a 1933 ac ysgrifennodd T.J. sut roedd Shaw yn eu diddanu â straeon am 'y theatr, ei atgofion am Irving, Tree a Terry ac anturiaethau o gylch ei ddramâu ei hun'. Bob nos ar ôl swper, darllenai Shaw ei ddrama *On the Rocks* i'r gynulleidfa. Dywedodd Gwendoline wrth un o'r gwesteion 'Daeth Charlotte a GBS draw o Malvern. Fe wnaethon ni fwynhau'n eithriadol. Gadawsom iddo siarad – ac fe siaradom ni â hi'. *Casgliad preifat*

greu yn y lle yna ac eto'i bod mor wylaidd, mor addfwyn, mor ddiymhongar – wel, mae'n dangos bod ganddi gymeriad o aur. Mae cyfoeth yn dinistrio pedwar person ar bymtheg o bob ugain. Yn amlach na pheidio, mae'n felltith ar y perchennog. Mae enaid Gwen Davies yn ddigon gwylaidd i roi gwir werth i gyfoeth ac i'w ddefnyddio, heb feddwl o gwbl am falchder na rhodres, i wasanaethu eraill. Mae'n gymeriad mawr ac rwy'n falch ei bod yn gyfaill i mi.'

Uchod: Lascelles Abercrombie, George Bernard Shaw a Thomas Jones yng Ngregynog. Cyfrannodd y bardd Lascelles Abercrombie, a fu'n Athro Saesneg ym Mhrifysgolion Leeds, Llundain a Rhydychen, yn gyson at y Gwyliau Cerdd a Barddoniaeth. Pan fu farw ym 1938, cyhoeddodd Gwasg Gregynog ei *Lyrics and Unfinished Poems*. *Casgliad preifat*

Nid oes yr un enw i'w weld yn amlach yn y Llyfr Ymwelwyr na T.J. Roedd y dyn hwn, a gyfarfu â Gandhi a chiniawa gyda Hitler, ymhlith dynion mwyaf dylanwadol Ewrop. Roedd ganddo gysylltiadau gwych a gallai gyflwyno'r chwiorydd i bobl ddifyr a diddorol. Meddai'r actores a'r awdures Joyce Grenfell, a fu mewn gwyliau cerddoriaeth yng Ngregynog yn y 1930au, 'roedd yn rhyw fath o impresario pobl er budd eraill a Chymru'. Ag yntau'n ymweld yn aml â'r Astors yn Cliveden, daeth T.J. i nabod nifer o bobl amlwg ym meysydd gwleidyddiaeth a'r celfyddydau ym Mhrydain a thramor. Roedd George Bernard Shaw, y dramodydd a enillodd wobr Nobel, yn un o nifer o lenorion y cyfarfu T.J. â nhw yn Cliveden ac y trefnodd iddynt ddod i Gregynog. Roedd Grenfell yn nith i Nancy Astor a daeth i Gregynog yn westai i T.J. ar gyfer Gwyliau 1937 a 1938, ac eto ar 6 Ebrill 1939 ar gyfer darllediad radio byw y BBC o Ran 2 o *Ddioddefaint Sant Mathew* Bach. Iddi hi, profiad cymysg oedd aros yng Ngregynog. Roedd y gerddoriaeth yn bleser digymysg ond roedd 'awyrgylch y tŷ yn oeraidd, yn bropor ac yn gwneud i mi deimlo braidd yn anghysurus. Roedd yn effeithio ar T.J., hyd yn oed, ac weithiau byddem yn dianc i weld ei hen ffrind Dora Herbert Jones... lle gallem ymlacio am sbel.'

Tra oedd T.J. yn cyflwyno llenorion a gwleidyddion i Gregynog, roedd gan Henry Walford Davies ran allweddol yn y gwaith o ddod â Vaughan Williams, Gustav Holst ac Adrian Boult i'r Gwyliau Cerdd a Barddoniaeth blynyddol. 'Walford oedd Cerddoriaeth y lle yma,' meddai Dora Herbert Jones, 'ac roedd popeth a ddeuai yn dod yn ei arddull ef.' Deuai Walford Davies a'i wraig i Gregynog sawl gwaith y flwyddyn rhwng Gorffennaf 1921 a Rhagfyr 1940. Roedd Syr Edward Elgar yn westai yno ym mis Mehefin 1924, rhoddodd Ralph Vaughan Williams gyngerdd yno ym mis Ebrill 1932, a daeth ei gyfaill, Gustav Holst ym mis Gorffennaf 1931 ar gyfer cyfarfod o'r Cyngor Cerddoriaeth Cenedlaethol a, dwy flynedd wedyn, ar gyfer yr ŵyl Gerdd a Barddoniaeth gyntaf. Bu Syr Henry Wood, cerddor, arweinydd a sefydlydd

Tudalennau nesaf:

Joyce Grenfell (canol) a gwesteion yn mwynhau gêm o denis yng Ngregynog. *Casgliad preifat*

Y bas-bariton Keith Falkner. *Casgliad preifat*

Ffotograff grŵp: Roedd y chwiorydd yn mwynhau cwmni, ond roedd Gwendoline yn teimlo ei bod hi'n ysgwyddo gormod o'r baich cynllunio. Ar brydiau, roedd hi'n siomi nad oedd gan Margaret unrhyw 'syniad o'r egni, y cerrynt trydan sy'n gorfod rhedeg trwy bethau er mwyn dod â Gregynog yn fyw'. Jane Blaker (chwith pellaf), Walford Davies (canol, cefn) Mike Davies (blaen, yn eistedd ar y chwith), Syr Charles Webster (yn penlinio y tu ôl i Mike Davies), Lascelles Abercrombie (de pellaf) ac Eldryd Dugdale (oedd ar fin priodi Mike Davies, yn penlinio ar y dde). *Casgliad preifat*

Stanley Baldwin yn plannu ffawydden goprog wrth y llyn yng Ngregynog (1936). Arhosodd y Prif Weinidog, Stanley Baldwin, yng Ngregynog er lles ei iechyd yn Awst 1936. Ysgrifennodd at T.J. 'Dyma wlad! Dyma heddwch! A dyma awyr iachus!', ychwanegodd 'Rwy'n ymhyfrydu yn ysbryd y Cymry ac os na wnaf i araith hyfryd amdanynt ryw ddydd, mi fwyta'i fy het.' *Casgliad preifat*

Cyngherddau Promenâd y BBC, yn westai ym mis Mai 1938. Roedd y bardd a'r beirniad llenyddol Lascelles Abercrombie yn gyfrannwr rheolaidd at y Gwyliau, fel yr oedd y soprano, y Fonesig Isobel Baillie a'r gontralto enwog Mary Jarred. Bu'r soprano Elsie Suddaby yn aros yng Ngregynog chwech ar hugain o weithiau rhwng 1925 a 1961. Cafwyd saith ymweliad gan Keith Falkner, bariton ac unawdydd, rhwng mis Mai 1931 a'r ŵyl olaf ym mis Gorffennaf 1938.

Er syndod, ni ddaeth cynifer o artistiaid a chrefftwyr yn westeion yng Ngregynog o bell ffordd, ac ni ddaeth neb ohonynt, ac eithrio Murray Urquhart efallai, yn gyfeillion i Gwendoline na Margaret. Wrth gwrs, roedd y Wasg yn denu artistiaid i Gregynog; bu Hughes-Stanton, Hermes, McCance a Miller Parker yn aros yno ym mis Mai 1930, a daeth Paul Nash, a ddyluniodd rwymiad *Shaw Gives Himself Away*, ar ymweliad ym mis Mawrth 1939. Ym mis Mawrth 1957, prynodd Margaret lun dyfrlliw o'r ardd a dynnwyd ganddo o ffenestr ei lofft. Cafwyd ymweliad gan Syr Matthew Smith RA ym mis Ebrill 1957 (gweler tudalen 156); a chyn pen tair blynedd, roedd Margaret wedi prynu tri o'i gynfasau pwysig.

Erbyn hyn, mae enw Hugh Blaker yn cael ei gysylltu bob amser â chasgliad Davies ond, erbyn i'r chwiorydd symud i Gregynog, nid oeddent yn casglu fel y buont. Trwy gydol Awst 1923, bu Blaker ac Urquhart yn arwain Ysgol Haf ar Gelf a Chrefft; byddai'r myfyrwyr yn arlunio ar dir y plas yn ystod y dydd a Blaker yn arwain trafodaethau ar y casgliad o waith celf gyda'r nos. Ymhlith eu myfyrwyr ifanc roedd un dawnus o'r enw Ceri Richards, a fyddai'n dweud yn aml wedi hynny ei fod wedi gwerthfawrogi'r cyflwyniad hwn i gelfyddyd fodern Ffrengig. Dim ond ddwywaith wedyn y gwelir llofnod Blaker yn y Llyfr Ymwelwyr sydd, efallai, yn cadarnhau'r syniad mai perthynas broffesiynol oedd rhyngddynt. Ychydig sydd i awgrymu bod y chwiorydd yn derbyn ymwelwyr yn benodol i weld eu casgliad o weithiau celf. Bu Winifred Coombe Tennant o Langatwg, ger Castell-nedd – oedd yn casglu, yn noddi ac yn hyrwyddo celfyddyd yng Nghymru ac artistiaid Cymreig y tu hwnt i Gymru – yn aros am bedair noson ym mis Mawrth 1926, a daeth Charles Aitken, Cyfarwyddwr yr Oriel Genedlaethol ym Millbank, yno y mis Hydref hwnnw. Roedd Caroline Lucas a'i chwaer Frances Byng-Stamper, noddwyr a sefydlwyr Millers Press yn Lewes, Sussex, yn westeion yng Ngregynog yn ystod yr Eisteddfod Genedlaethol ym Machynlleth ym mis Awst 1937. Y flwyddyn honno, sefydlwyd Cymdeithas Celfyddyd Gyfoes Cymru ganddynt hwy a'r chwiorydd Davies.

De: Gwendoline Davies gan Vandyck (1837). Trefnodd T.J. bod Gwendoline yn mynd yn Gydymaith Anrhydedd ym 1937. Ar ôl yr arwisgiad ar 10 Mehefin 1937 cafodd barti cinio iddi yn yr Athenaeum gan wahodd Walford Davies. Ysgrifennodd T.J. 'Rhoddais i un llwncdestun "Ein Cydymaith Ifancaf", gwenodd Gwen a chochi ac ni welais i erioed mohoni'n edrych yn fwy addfwyn. Fe'i hanfonais, gyda Walford mewn tacsi, yn groes i'w hewyllys, at Vandyck i dynnu ei llun.'

Roedd gan Gregynog enw eithriadol o dda fel canolfan gelfyddydol; daeth May Morris o Kelmscott Manor i ymweld â'r chwiorydd ar 11 Awst 1937. Byddai ymgynghorwyr yn dod yno o bryd i'w gilydd. Daeth y pensaer Sidney Greenslade gyda T.J. bedair gwaith rhwng 1922 a 1932, gan gynghori'r chwiorydd ar waith addasu Gregynog. Cafwyd ymweliadau gan Paul Matt, rheolwr y *Brynmawr Furniture Company*, ym 1931, 1933 a 1936, a chan Henry Avray Tipping, dylunydd gerddi, awdur a chyfrannwr at *Country Life* yn ystod 1928 a 1930.

Bu Gregynog yn lloches i'r Prif Weinidog, Stanley Baldwin, a'i deulu ym mis Awst 1936. Roedd argyfwng Edward VIII yn ildio'r goron wedi amharu'n fawr ar iechyd Baldwin a llwyddwyd i'w ddarbwyllo i gymryd gwyliau am dri mis er mwyn bod yn iach ar gyfer y Coroni. Trefnodd T.J. iddo dreulio'r mis cyntaf yng Ngregynog. Croesawodd T.J. a'r chwiorydd y teulu i'r plasty ac yna symud i Froneirion, gan adael Dora Herbert Jones i ofalu am y gwesteion. Perswadiwyd y chwiorydd i archebu hamper o wirodydd o Harrods er lles iechyd y Prif Weinidog ar drefniant gwerthu neu ddychwelyd. Ysgrifennodd Baldwin at T.J. yn sôn am 'Dora ardderchog y drws nesaf, yn rhagweld pob un o'm dymuniadau. Dyma wlad! Dyma heddwch! A dyma awyr iachus! Rwy'n cael fy nhrochi yn ysbryd y Cymry ... Rwy'n credu bod Mr Anderson [y bwtler] yn hoffi arllwys gwin: mae'n magu ei boteli ac yn llenwi fy ngwydr yn selog. Cefais drafferth fawr i gael dŵr ganddo... Dyna bla wyf i! Ond rwyf wrth fy modd!' I ddangos ei werthfawrogiad, plannodd ffawydden goprog ger y llyn mewn seremoni y daeth Mrs Edward Davies iddi.

Ond nid pobl fawr a phobl enwog yn unig a fwynhaodd groeso'r chwiorydd yng Ngregynog. Roeddent yn meddwl am les eu tenantiaid a thrigolion y plwyfi cyfagos hefyd. Ceir llu o gofnodion o weithredoedd caredig tuag at unigolion, ffeiriau elusennol at achosion da a phartïon Nadolig lle'r oedd pob un o blant y pentref yn cael llyfr addas. Roedd croeso arbennig i blant yng Ngregynog. Byddai croeso i staff a merched ifanc o Gartref Ymadfer Tŷ Gwyn, Llwyngwril, un arall o gynlluniau'r merched, a Gwersyll Merched Trebefered, yr oedd Margaret yn Noddwr iddo. Daeth merch T.J., Eirene â chriw o blant o'r Gymanwlad i Gregynog ym

De, top: Ymweliad gan blant ysgol o'r Iseldiroedd. Ar ôl y Rhyfel, daeth grwpiau mawr o blant yr Iseldiroedd i Gymru am wyliau hir. Daeth thrideg-saith o blant rhwng 21 Mehefin a 24 Awst 1945, chwech ar hugain rhwng 2 Hydref a 29 Tachwedd 1945, saith ar hugain rhwng 28 Chwefror a 24 Ebrill 1946, a dau ar hugain yn haf 1946. Cafodd plant lleol wahoddiad i chwarae gyda'r ffoaduriaid. Mae Jane Blaker yn eistedd ar y chwith gyda'i chi, Nelson. Mae Gwendoline, yn gwisgo siaced a thei, yn eistedd yn y canol gyda Margaret ar ei hochr dde. Roedd y sbaniel du yn perthyn i'r howscipar, Mrs Ingram. *Casgliad preifat*

De, gwaelod: *Look! The first week. Look! The eighth week.* Ar ddiwedd ei hymweliad, peintiodd nifer o'r plant luniau dyfrlliw bach yn llyfr ymwelwyr Gregynog. Mynegodd Margaret Heymans ei diolch i Gwendoline a Margaret gyda darluniau sy'n dangos ei thrawsnewidiad yn ferch ifanc fochgoch iach yn mynd ar ei ffordd gyda sach WVS llawn dros ei hysgwydd. *Llyfrgell Genedlaethol Cymru*

Look! The first week.

Look! the eighth week

MIEP
W.V.S
TREES
W.V.S
Margaret Heymans

1931; mewn parti ffarwél fe wisgodd Margaret mewn gwisg ffansi ond dewisodd Gwendoline wylio'r hwyl. Bu Mary Hackett yn aros yng Ngregynog ym 1938 trwy Gynllun Myfyrwyr Tramor y Fonesig Frances Ryder. Mewn llythyr at ei rhieni gartref yn Queensland, Awstralia, disgrifiodd Mary ei hun yn cyrraedd mewn car wedi'i yrru gan *chauffeur* a soniodd am ei hargraffiadau o'r tŷ, ei ddarluniau a'i gerfluniau, y gerddi, y llyn a'r coedlannau. Cyflwynwyd hi i Syr Walford a'r Fonesig Davies ac, ar ôl cinio, bu pawb yn gwneud croesair, a'r wobr oedd datganiad gan Walford. 'Maen nhw mor annwyl,' ysgrifennodd, 'ac mor hawdd sgwrsio â nhw.' Aeth Mary i'r capel gyda'r ddwy Miss Davies, aeth heibio i Dora Herbert Jones i gael te a 'bu hen sgwrsio trwy'r prynhawn'. Bu hefyd yn peintio yn y caeau a'r glyn gyda Margaret a wisgai smoc a het gantel fawr. Aeth Gwendoline â hi allan am ddiwrnod i'r wlad yn y Daimler a chawsant bicnic ar ochr y ffordd. Un noson, trefnwyd parti i Geidiaid oedd yn gwersylla gerllaw a buont yn canu o gwmpas tân y gwersyll.

Roedd Gregynog yn hafan hefyd i nai'r gogyddes a'r howscipar, Fanny Evans, a fu'n gydymaith i Margaret yn ei henaint. Deuai John Christopher, oedd wedi colli'i rieni'n ddeg oed, i aros am gyfnodau maith rhwng 1937 a 1948. Mae ei atgofion o hafau Gregynog yn rhoi cipolwg difyr i ni ar fywydau'r chwiorydd a'u ffordd freintiedig o fyw. Roedd y garddwyr niferus yn sicrhau bod cynnyrch ffres yn cyrraedd y tŷ bob dydd o'r ardd gegin a'r tai gwydr ar gyfer y chwiorydd, eu staff, cynadleddwyr a gwesteion.

Pan ddaeth yr Ail Ryfel Byd, arhosodd y chwiorydd yng Ngregynog ond rhoddwyd y gorau i gynnal Gwyliau a chynadleddau. Aed ati i ddirwyn gwaith y Wasg i ben, a throsglwyddwyd y Neuadd i'r Groes Goch i fod yn gartref ymadfer ar gyfer milwyr a gweithwyr amddiffyn sifil o ganolbarth Lloegr. Roedd T.J. yn dal i anfon gwesteion yn achlysurol. Ym mis Tachwedd 1940, ysgrifennodd at Gwendoline o Paddington yn sôn am y bomio didrugaredd a'r dinistr mawr ar hyd a lled y ddinas. Holodd a allai gymryd warden cyrchoedd awyr yr Adelphi a'i deulu am wyliau byr: 'Byddai'n garedig iawn ... Fe gawn ni'n dau rannu pris tocyn trên.' Bu Syr Lewis Casson, Cyfarwyddwr y Cyngor er Hybu Cerddoriaeth a'r Celfyddydau, a'i wraig, yr actores y Fonesig Sybil Thorndike, yn westeion ym mis Ionawr 1942 ar ôl ymweld â chynllun cymunedol Maes-yr-Haf yn Nhrealaw. Hefyd, daeth yr Arglwydd a'r Arglwyddes Macmillan o Sussex am bythefnos ym 1944 i ddianc o fywyd islaw llwybr yr awyrennau bomio. Rhwng haf 1946 a 1947, daeth pedwar criw o blant o'r Iseldiroedd oedd wedi dioddef oherwydd y rhyfel ar wyliau i Gymru; roedd rhyw wyth ar hugain ym mhob criw ac roedd pob ymweliad yn para dau fis.

De, top: Parti criw Gregynog, gyda Michael 'Mike' Davies yn gyrru. Gallasai nai'r chwiorydd, Mike Davies, fod wedi parhau â 'thraddodiad Gregynog', ond cafodd ei ladd ar faes y gad yn Rousel, yr Iseldiroedd, ym 1944. *Casgliad preifat*

Pan fu farw Gwendoline ym 1951, nid oedd neb amlwg i gymryd mantell 'traddodiad Gregynog'; lladdwyd eu nai 'Mike' Davies, yr oedd y chwiorydd yn arbennig o hoff ohono, yn y rhyfel ym 1944. Bu farw T.J. ym 1955. A hithau'n treulio mwy o amser yn ne Ffrainc er lles ei hiechyd, ceisiodd Margaret barhau â'r gweithgareddau yng Ngregynog hyd y medrai yn ei blynyddoedd olaf. Trefnodd Ian Parrott, Athro Cerddoriaeth Gregynog yn Aberystwyth, gyngherddau cerddorol ac, ym 1956, daeth Lambert Gapper o'r Adran Gelf â Syr Herbert Read i siarad mewn cynhadledd breswyl. Cynhaliwyd nifer o gyfarfodydd i drafod sut y gellid defnyddio Gregynog ond, heb Gwendoline, y 'prif grëwr ac ysbrydolwr', a T.J., y grym arweiniol, ni lwyddwyd i adfer bywiogrwydd oes aur Gregynog. Mewn llythyr at T.J. ar ddechrau'r Ail Ryfel Byd, mynegodd Gwen ei diolch i'w mentor:

> 'Chwalwyd fy mywyd a'm hiechyd yn chwilfriw gan y rhyfel cyntaf. Bu'n rhaid eu hail-godi a chi oedd yr adeiladwr a'r adferwr. Hoffwn ddiolch i chi o waelod calon am y cyfan yr ydych wedi'i roi i mi a'i wneud drosof. Chi sy'n gyfrifol, bron yn llwyr, am y cyfan yr wyf wedi llwyddo i'w wneud dros y ddeng mlynedd ar hugain ddiwethaf.'

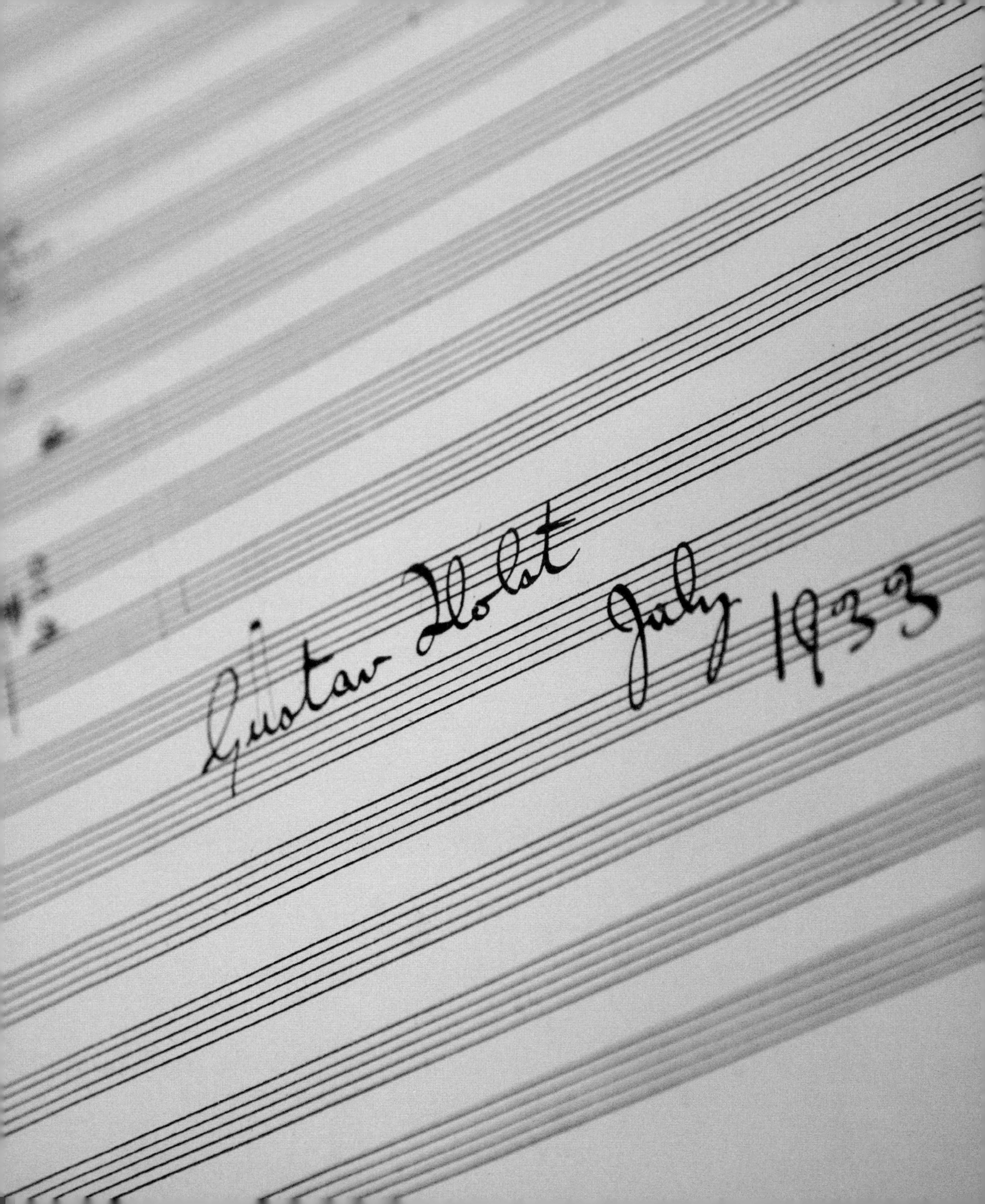
Gustav Holst July 1933

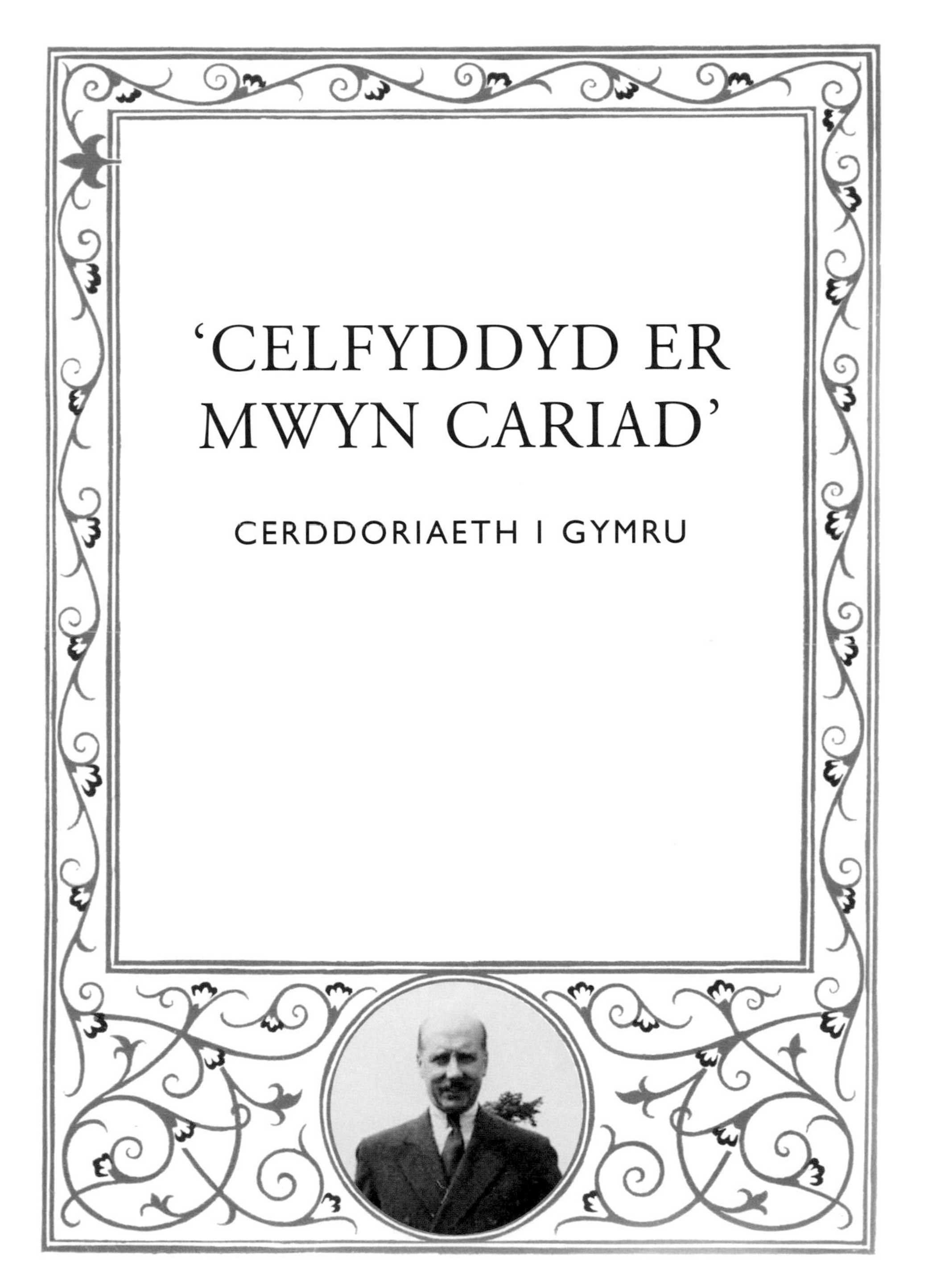

‘CELFYDDYD ER MWYN CARIAD’

CERDDORIAETH I GYMRU

Y N Y *LIVERPOOL DAILY POST* ym 1936, '*Celfyddyd er mwyn cariad*' oedd disgrifiad A. K. Holland o bedwaredd ŵyl Gerdd a Barddoniaeth Gregynog. Mae hefyd yn dweud bod artistiaid o fri yn llwyddo i greu awyrgylch agos-atoch, ddymunol ac ymdeimlad o gymuned â'u llafur cariad. Mae hyn, i raddau, yn adlewyrchu agwedd Gwendoline a Margaret Davies at gerddoriaeth yn fwy cyffredinol, ac mae'n help i esbonio pam y bu i'w cymorth ymarferol ac ariannol gyfrannu at drawsnewid bywyd cerddorol Cymru yn yr ugeinfed ganrif.

Er mwyn deall eu pwysigrwydd, rhaid deall mai ychydig o ddigwyddiadau cerddorol oedd yng Nghymru ar droad y ganrif. Fel gyda'r rhan fwyaf o deuluoedd da eu byd, cafodd y chwiorydd addysg gerddorol dda, a daeth Gwendoline yn feiolinydd dawnus. Roedd ganddynt fodd i deithio i gyngherddau y tu hwnt i Gymru a Phrydain a buont yng ngŵyl Bayreuth ddwywaith, ym 1909 a 1911. Roedd y teithiau Wagneraidd hyn, a gofnodwyd yn frwd ac yn fywiog gan Margaret yn ei dyddiadur (*Siegfried* oedd ei hoff opera), yn fath o bererindod gerddorol. Yn ogystal â'r operâu ac ymweld â Wahnfried, cartref a bedd Wagner, buont yng nghartref Hans Sachs, prif gymeriad *Die Meistersinger*, ac wrth fedd Liszt.

Yng Nghymru, serch hynny, roedd cerddoriaeth mewn rhyw ferddwr gyda datblygiadau prin yma a thraw. Daliai'r traddodiad corawl cynhenid, a enillodd i Gymru yr enw 'Gwlad y Gân', yn gryf ond, i lawer, nid oedd modd gwahanu cerddoriaeth a chapel. Er bod bandiau pres mewn rhai ardaloedd, nid oedd gan Gymru gerddorfa genedlaethol ac nid oedd y ddarpariaeth ar gyfer gwersi offerynnol mewn ysgolion, nac ychwaith yn y prifysgolion i ryw raddau, yn ddigonol. Yn ogystal, roedd peth drwgdeimlad at gyfansoddwyr ac arweinyddion o Loegr a oedd, ym marn y sefydliad cerddorol Cymreig, yn drahaus ac yn rhy barod i ymyrryd gan wthio dylanwadau Almaenig ar ddoniau lleol. Fodd bynnag, roedd tuedd gynyddol i gredu bod angen edrych y tu hwnt i sefydliadau hanesyddol fel yr Eisteddfod a'r capel er mwyn creu Cymru gerddorol newydd.

Cefnogai'r chwiorydd Davies amryw o weithgareddau cerddorol blaengar yma a thraw. Er bod cyflwr cerddoriaeth Gymreig gyfoes yn peri pryder iddynt, roedd ganddynt ddiddordeb mawr yng ngherddoriaeth draddodiadol Cymru ac mewn cerddoriaeth grefyddol a chorawl. Byddai gwyliau Gregynog trwy gydol y 1930au yn cynnwys cyfuniad o gerddoriaeth gysegredig a

Daw teitl y bennod o erthygl yn y *Liverpool Daily Post* ym 1936 yn sôn am bedwaredd Gŵyl Gregynog. Mae'r ffotograff yn dangos llofnod Gustav Holst ar sgôr y darn a gyfansoddodd yn arbennig ar gyfer Gregynog. *Ray Edgar*

De: Gwendoline yn chwarae'r feiolín yn Llandinam.. Bu Gwendoline yn astudio'r feiolín ym Mharis a bu ganddi Stradivarius (y 'Parke') am gyfnod. Fodd bynnag, cafodd afiechyd prin ar y gwaed oedd yn gwanhau ei bysedd a bu'n rhaid iddi roi'r gorau i ymarfer. *Casgliad preifat*

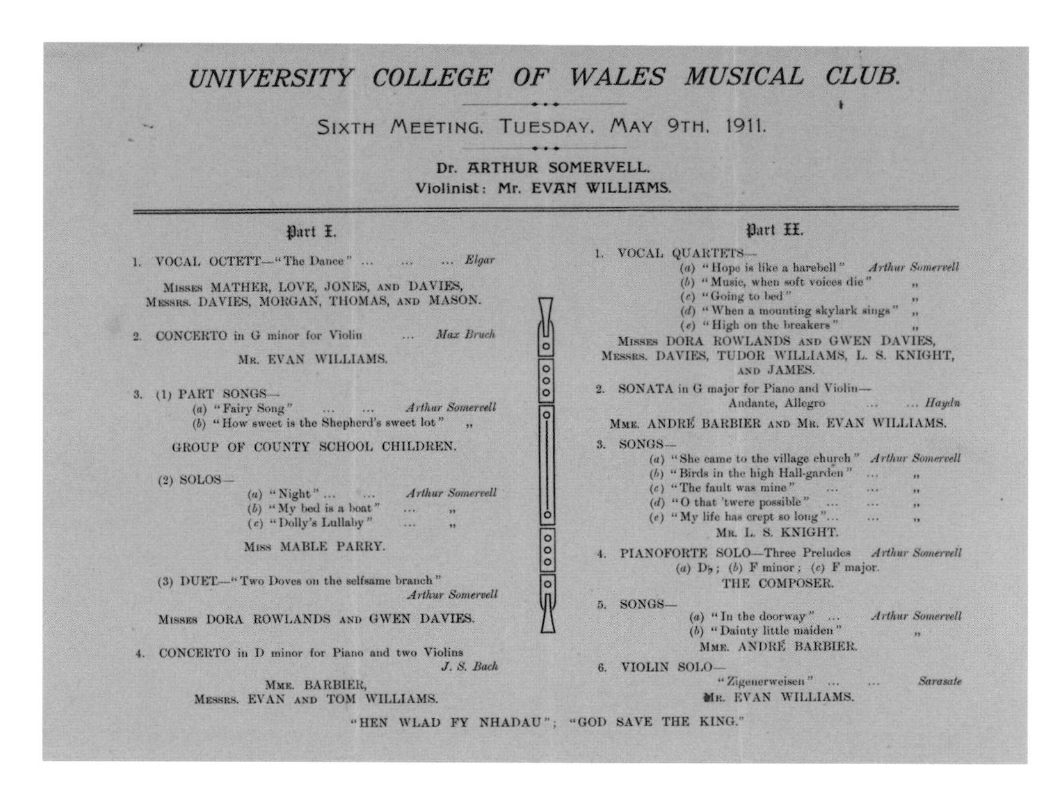

UNIVERSITY COLLEGE OF WALES MUSICAL CLUB.

SIXTH MEETING, TUESDAY, MAY 9TH, 1911.

Dr. ARTHUR SOMERVELL.
Violinist: Mr. EVAN WILLIAMS.

Part I.

1. VOCAL OCTETT—"The Dance" ... ... *Elgar*

MISSES MATHER, LOVE, JONES, AND DAVIES,
MESSRS. DAVIES, MORGAN, THOMAS, AND MASON.

2. CONCERTO in G minor for Violin ... *Max Bruch*

MR. EVAN WILLIAMS.

3. (1) PART SONGS—
(*a*) "Fairy Song" ... ... *Arthur Somervell*
(*b*) "How sweet is the Shepherd's sweet lot" ,,

GROUP OF COUNTY SCHOOL CHILDREN.

(2) SOLOS—
(*a*) "Night" ... ... *Arthur Somervell*
(*b*) "My bed is a boat" ... ,,
(*c*) "Dolly's Lullaby" ... ,,

MISS MABLE PARRY.

(3) DUET—"Two Doves on the selfsame branch" *Arthur Somervell*

MISSES DORA ROWLANDS AND GWEN DAVIES.

4. CONCERTO in D minor for Piano and two Violins *J. S. Bach*

MME. BARBIER,
MESSRS. EVAN AND TOM WILLIAMS.

Part II.

1. VOCAL QUARTETS—
(*a*) "Hope is like a harebell" *Arthur Somervell*
(*b*) "Music, when soft voices die" ,,
(*c*) "Going to bed" ,,
(*d*) "When a mounting skylark sings" ,,
(*e*) "High on the breakers" ,,

MISSES DORA ROWLANDS AND GWEN DAVIES,
MESSRS. DAVIES, TUDOR WILLIAMS, L. S. KNIGHT, AND JAMES.

2. SONATA in G major for Piano and Violin—
Andante, Allegro ... ... *Haydn*

MME. ANDRÉ BARBIER AND MR. EVAN WILLIAMS.

3. SONGS—
(*a*) "She came to the village church" *Arthur Somervell*
(*b*) "Birds in the high Hall-garden" ... ,,
(*c*) "The fault was mine" ... ... ,,
(*d*) "O that 'twere possible" ... ... ,,
(*e*) "My life has crept so long"... ... ,,

MR. L. S. KNIGHT.

4. PIANOFORTE SOLO—Three Preludes *Arthur Somervell*
(*a*) D♭; (*b*) F minor; (*c*) F major.

THE COMPOSER.

5. SONGS—
(*a*) "In the doorway" ... *Arthur Somervell*
(*b*) "Dainty little maiden" ,,

MME. ANDRÉ BARBIER.

6. VIOLIN SOLO—
"Zigeunerweisen" ... ... *Sarasate*

MR. EVAN WILLIAMS.

"HEN WLAD FY NHADAU"; "GOD SAVE THE KING."

seciwlar, Cymreig a rhyngwladol. Sefydlwyd Cymdeithas Alawon Gwerin Cymru ym 1908, a bu'r ddwy chwaer ar y pwyllgor cyffredinol ers 1909, gan gyfrannu'n gydwybodol at y gwaith. Yn ôl cylchgrawn y gymdeithas, roedd 'Miss Daisy Davies' wedi cynnig gwobr am 'Gasgliad o Ganeuon Gwerin' yng Nghaersws ym 1910, a thua 1916 bu'r chwiorydd yn helpu Dr Mary Davies i gasglu caneuon gwerin Sir Faldwyn. Gwelir eu gwerthfawrogiad o gerddoriaeth werin wrth i Margaret gofnodi ei hargraffiadau o'u hymweliad â Bayreuth yn ei dyddiadur. Dywed iddi glywed dyn â llais da iawn yn canu caneuon Almaenig mewn pentref yn yr Almaen … 'yn fy marn i, ni fyddech wedi clywed gwell llais hyd yn oed yn y tŷ opera,' meddai.

Yna, o dan gyfarwyddyd Madame Lucie Barbier, sefydlwyd Clwb Cerdd yn y Brifysgol yn Aberystwyth a rhwng 1910 a 1915, cafodd cynulleidfaoedd gyfle i glywed perfformwyr oedd yn enwog yn rhyngwladol yn cyflwyno, nid yn unig gerddoriaeth Ffrengig fel gwaith Saint-Saëns

Uchod: Rhaglen un o gyngherddau Madame Lucie Barbier yn Aberystwyth, lle'r oedd Gwendoline a Dora Rowlands (Dora Herbert Jones wedyn) yn perfformio. *Llyfrgell Genedlaethol Cymru*

a Franck, ond caneuon madrigal, caneuon *Lieder* Almaenig a cherddoriaeth Gymreig a Seisnig gyfoes. Yn bwysig iawn, roedd hyn yn cynnwys caneuon gwerin Cymreig. Aeth Barbier â phedwarawd o Gymru i Baris, lle'r oeddent, yng ngeiriau Dora Herbert Jones, 'fel gwydraid o ddŵr oer' i'r cyhoedd. Roedd Gwendoline yn chwarae rhan amlwg ym mywyd cerddorol y wlad ac (i ddechrau o leiaf) fel ffrind i Barbier, bu'n perfformio mewn nifer fawr o gyngherddau. Ym 1910, roedd yn rhan o bedwarawd lleisiol a ganai weithiau Arthur Somervell ac, ym 1911, bu'n chwarae *Romance* o waith Svendsen, a *Humoresque* gan Dvorák. Mae'r ffaith fod Gwendoline nid yn unig yn gallu chwarae'r darnau hyn ond eu chwarae'n gyhoeddus yn dangos bod ganddi ddawn gerddorol ymhell y tu hwnt i allu y rhan fwyaf o ferched ifanc bonheddig ei hoes.

Ni roddwyd cychwyn ar newid cerddorol parhaol yng Nghymru tan 1914, pan gafwyd llu o adroddiadau yn y wasg bod cyfraniad sylweddol wedi'i wneud i ariannu Cadair mewn Cerddoriaeth yn Aberystwyth. Roedd gwahanol sïon ynghylch faint yn union a gyfrannwyd a chan bwy, ond datgelwyd mai 'Miss [Gwendoline] Davies sydd wedi cymryd diddordeb mawr a chamau ymarferol iawn i ddatblygu cerddoriaeth offerynnol a meithrin cariad at y gerddoriaeth honno yng Nghymru.' Y bwriad wrth roi £3,000 y flwyddyn am bum mlynedd oedd sicrhau darpariaeth gerddorol briodol ym Mhrifysgol Cymru ond, mewn gwirionedd, roedd yn llawer mwy na hynny. Yn ôl *The Welsh Outlook*: 'Myncgodd y rhoddwr y dymuniad y dylai'r staff gynnal cyngherddau mewn canolfannau addas yng Nghymru gyda'r nod o annog pobl i ffurfio clybiau cerdd a dosbarthiadau cerddorfaol ac i astudio cerddoriaeth dda yn gyffredinol'.

Ni ddaeth y rhodd yn weithredol tan 1918, a phryd hynny, perswadiodd Thomas Jones a'r chwiorydd y cyfansoddwr Henry Walford Davies, a aned yng Nghroesoswallt, i adael Llundain a gafael yn yr hyn y byddai'n ei ddisgrifio'n breifat yn nes ymlaen fel 'yr aradr Gymreig'. Defnyddiwyd rhodd y chwiorydd i ariannu ei swydd fel Athro Cerddoriaeth yn Aberystwyth a Chyfarwyddwr Cyngor Cenedlaethol Cerddoriaeth Cymru oedd newydd ei sefydlu i ddiwygio addysg gerddorol a chyfleoedd i ymwneud â cherddoriaeth ledled Cymru.

Mewn sawl ffordd, swydd ddiddiolch oedd un Walford. Er bod y diwygwyr yn gadarn o'i blaid, credai rhai mai ymyrraeth o'r tu allan oedd ei benodi a gwelai cenedlaetholwyr cerddorol y penodiad fel ymgais i wthio tuedd Almaenig ar gymeriad cerddorol Cymru yr oedden nhw mor awyddus i'w warchod. Fel yr ysgrifennodd Gwendoline at T.J., 'rydym wedi arwain y ceffyl Cymreig at y nant loywaf y gallem, ond yr unig beth a wnaeth oedd taflu ei ben a cherdded trwyddi'. Roedd Walford yn fwy nag abl i sefyll ei dir yn erbyn y rhai a'i cyhuddai o wthio'r agenda Ewropeaidd ar draul yr un leol ac roedd ef yn cydnabod pwysigrwydd y ddwy. Dywedai fod 'unrhyw gynllwyn yn erbyn amrywiaeth yn drosedd a bod peidio â rhoi'r gwerth mwyaf posibl i gynnyrch cartref yn drosedd.' Ymroddai'n llwyr i'w dasg ac mae'r hyn a ysgrifennodd mewn dyddiaduron personol, gohebiaeth ac adroddiadau proffesiynol yn llawn brwdfrydedd gobeithiol. Roedd ei nod cerddorol yn un syml fel y gwelir yn y nodiadau hyn ar gyfer Ysgol Haf Aberystwyth 1921: 'Mae'n rhaid ei bod o gymorth' ysgrifennodd, 'i bawb ohonom nodi o'r dechrau'n deg ein bod yn cyfarfod â thri pheth yn gyffredin rhyngom am gerddoriaeth:

> Rywfodd, rydym oll yn caru cerddoriaeth
> A ninnau'n ei charu, rydym rywfodd yn ei gwneud
> Trwy ei gwneud, rydym yn ei chyfleu i eraill'

Daeth Gwendoline a Walford Davies yn gyfeillion agos, o bosibl am eu bod yn rhannu barn nid yn unig am werth hanfodol cerddoriaeth, ond hefyd am ei manteision cymdeithasol a moesol a'r angen i'w phoblogeiddio. Gellir dadlau nad oedd Gwyliau Gregynog yn poblogeiddio cerddoriaeth ond eu bod yn achlysuron uchel ael lle câi'r gydwybod gymdeithasol ei gadael ar y plât casglu wrth y drws. Mae hyn yn annheg o gofio bod pobl o bob math o gefndiroedd yn cael eu croesawu i Gregynog weddill y flwyddyn.

Er gwaethaf y gwrthwynebiad, ac o dan arweiniad Walford Davies a nawdd y chwiorydd Davies, cafodd y ddarpariaeth gerddorol mewn ysgolion, prifysgolion ac ym maes addysg oedolion yng Nghymru ei thrawsnewid gan Gyngor Cerddoriaeth Cenedlaethol Cymru. Trefnodd wyliau, ysgolion haf a darlith-gyngherddau a llwyddodd i fynd â cherddoriaeth Gymreig allan o Gymru. Trefnodd y chwiorydd bod Gregynog ar gael i Walford ac argraffwyd defnyddiau i hyrwyddo'r digwyddiadau yn y Wasg. Aeth y Cyngor ati i ffurfio triawd llinynnol llawn amser a fu'n teithio'r wlad yn rhoi darlith-gyngherddau mewn ardaloedd gwledig i bobl nad oedd yn gyfarwydd â cherddoriaeth heblaw'r hyn a glywent yn yr eglwys neu'r capel. Cyhoeddodd y Cyngor lyfr *Cymanfa Ganu* ym 1921 – ac mae'r nodiadau trafod yn nodi mai Gwendoline a Dr

De: Portread siarcol o Henry Walford Davies (1936), gan Evan Walters. Yn ôl pob tebyg, roedd Walford Davies yn ddyn dymunol nad oedd yn gadael i'r anawsterau cerddorol a'i wynebai yng Nghymru ei gynhyrfu. Mae'r llun siarcol hwn gan y Cymro Evan Walters yn cyfleu ei gymeriad i'r dim.

Y dudalen nesaf, chwith: Poster i hysbysebu perfformiad o *Y Greadigaeth* gan Haydn, Aberystwyth 1925. Cafodd llawer o wyliau lleol, rhai ohonynt yn parhau hyd heddiw, eu hwyluso gan y Cyngor Cerddoriaeth Cenedlaethol. Crëwyd y gwaith celf gwreiddiol hwn gan Robert Ashwin Maynard yng Ngwasg Gregynog. *Prifysgol Cymru, Gregynog*

Y dudalen nesaf, de: Poster ar gyfer '*Welsh Week at Wembley*'. Trefnodd Walford Davies Wythnos Gymreig yn Wembley ym 1924, fel ffordd o hyrwyddo gwaith y Cyngor Cerddoriaeth Cenedlaethol y tu hwnt i Gymru a hybu buddiannau cerddoriaeth yng Nghymru. Cafodd y poster hwn i hysbysebu'r achlysur ei ddylunio yng Ngwasg Gregynog. *Prifysgol Cymru, Gregynog*

Evan Walters

GWYL GERDDOROL CEREDIGION
CARDIGANSHIRE
MUSICAL FESTIVAL
MAYNARD
1723 : HAYDN : 1809
"THE CREATION"
AT THE
COLLEGE HALL
ABERYSTWYTH
FRIDAY MAY 29TH
"1925"

WELSH WEEK AT
WEMBLEY AUG. 25-30
Y DDRAIG GOCH DDYRY GYCHWYN
MESSIAH - APOSTLES - CHURCH MUSIC
GERONTIUS - SYMPHONY ORCHESTRA
PASSION MUSIC - PENILLION SINGING
HYMN SINGING - WELSH GUARDS BAND
AN ALL WALES CHOIR AT THE
STADIUM SATURDAY AUG. 30
IS YOUR CHOIR REPRESENTED? APPLY SECRETARY NATIONAL COUNCIL OF MUSIC ABERYSTWYTH
Designed by R.A. MAYNARD at The GREGYNOG PRESS Montgomeryshire
WATERLOW & SONS LTD LONDON DUNSTABLE & WATFORD

Mary Davies a gafodd y cyfrifoldeb o ddewis cyfieithiadau o emynau Cymraeg. Yn ogystal, roedd Gwendoline ar banel dewis llyfr emyn-donau ar gyfer ysgolion a cholegau.

Talwyd sylw i bwysigrwydd Gregynog fel canolfan ar gyfer gwaith artistig a dyngarol y chwiorydd mewn mannau eraill yn y llyfr hwn, ac fe'i defnyddiwyd yn yr un modd fel canolfan gerdd. Ni lwyddodd rhai cynlluniau i ddwyn ffrwyth – fel y bwriad i wneud Gregynog yn ganolfan ar gyfer cerddoriaeth yng Nghymru a chynllun Gwendoline i 'osod to gwydr dros iard y stablau fel y cewch weithdy, neuadd gyngerdd, theatr, neuadd arddangos a Phalas Grisial o dan yr un to' (er y cafodd rhan o'r iard ran-do gwydr). Serch hynny, roedd Gregynog yn weithle ar gyfer Walford Davies, yn fan cyfarfod ar gyfer Cyngor Cerddoriaeth Cenedlaethol Cymru ac yn ganolfan ar gyfer llu o gyngherddau, cynadleddau a digwyddiadau cerddorol eraill yn ystod y 1920au a'r 30au. Croesawyd llawer iawn o gerddorion amlwg i Gregynog hefyd, yn eu plith Elgar a Vaughan Williams, a chafwyd perfformiadau yno gan grwpiau fel *The English Singers* (y credir i'w hymweliad fod yn hwb i greu Côr Gregynog). Trowyd yr ystafell filiards yn Ystafell Gerdd ag organ Gregynog – a adeiladwyd rhwng 1922 a 1925 yn unol â chyfarwyddiadau Walford – yn ganolbwynt iddi.

Ym 1925, roedd yn gam naturiol i ffurfio Côr Gregynog oedd yn cynnwys aelodau o'r staff a phobl yr ardal, gan ddatrys problem presenoldeb isel yn yr oedfaon yn ystod cynadleddau. Er nad oedd sail i'r chwedl bod yn rhaid i chi allu canu cyn mynd i weithio i Gregynog, mae'n wir bod rhai pobl wedi cael cymorth ariannol oherwydd eu gallu cerddorol. Gan na allai'r rhan fwyaf o aelodau'r côr ddarllen hen nodiant, defnyddiwyd y system sol-ffa; roedd y rhai na allai ddarllen sol-ffa yn dysgu eu rhannau â'r glust.

Daeth penllanw cerddorol Gregynog yn y 1930au pan ddechreuwyd cynnal Gŵyl Gerdd a Barddoniaeth Gregynog. Fe'i cynhaliwyd bob blwyddyn o 1933 tan 1938, ac yna eto o 1955 ymlaen. Gŵyl gymharol fechan oedd hi, yn para tridiau neu bedwar diwrnod ac roedd mynediad trwy wahoddiad yn unig. Cynhelid y cyngherddau yn yr Ystafell Gerdd oedd yn dal 200 o bobl a gwnaed casgliadau at achosion da lleol. Roedd yr elfen farddonol yn cael ei chyfrif yr un mor bwysig â'r gerddoriaeth. Yn ystod y 1930au, croesawyd rhai o gerddorion pwysicaf y cyfnod i'r gwyliau hyn, yn eu plith Gustav Holst, yr arweinydd Adrian Boult a pherfformwyr fel Jelly d'Arányi a Phedwarawd Rothschild. Byddai Boult a'r cantorion adnabyddus Elsie Suddaby a Keith Falkner yn dod i'r Gwyliau'n rheolaidd. Roedd tebygrwydd rhwng patrwm a rhaglen y gwyliau o flwyddyn i flwyddyn. Byddai yno gerddoriaeth Brydeinig gyfoes (gyda chryn dipyn o waith Holst, Vaughan Williams ac Elgar) a llai cyfoes (Arne, Boyce, Purcell a Madrigaliwyr Lloegr), ynghyd â thipyn o glasuron siambr Ewropeaidd a dos go dda o ganeuon

gwerin Cymreig. Yn naturiol, cerddoriaeth gorawl oedd yno fwyaf a byddai gweithiau crefyddol yn cael eu cyflwyno ar ddyddiau Sul y Gwyliau.

Yn unol â natur gyfannol y Gwyliau, byddai'r Wasg yn argraffu rhaglenni arbennig. Gwyliau siambr oeddent yn bennaf ar lawer cyfrif, ar wahân i weithiau corawl uchelgeisiol. Ychydig o offerynwyr oedd yno a lle byddai gofyn am gerddorfa lawn, byddai Walford Davies neu Boult yn chwarae'r rhannau perthnasol ar y piano a'r organ. Er bod nifer o'r perfformwyr yn dod o dramor, roedd pwyslais Cymreig yno ac roedd llawer o gerddorion lleol yn cymryd rhan ochr yn ochr â cherddorion o fri, a Chôr Gregynog wrth gwrs. Yn yr ŵyl gyntaf, rhoddodd Dora Herbert Jones berfformiad o'r enw 'Cymru, ei hanes a'i cherddoriaeth werin', gyda chaneuon a darlith. Un o'r darnau pwysicaf a gyflwynwyd am y tro cyntaf yng Ngregynog oedd *O Spiritual Pilgrim* Holst (gyda'r cyflwyniad 'I Gregynog'). Fe'i cyfansoddwyd yn arbennig ar gyfer Côr

Uchod: Tynnwyd y llun adeg y Cyngerdd Brenhinol yn Neuadd Albert ar Ddiwrnod yr Ymerodraeth ym 1938. Roedd hi'n dipyn o achlysur gyda pherfformiadau gan gorau o bob rhan o Brydain er mwyn 'hybu cerddoriaeth, ac er budd cerddorion mewn angen'. Perfformiodd Côr Gregynog *O Spiritual Pilgrim* Holst yn gyhoeddus am y tro cyntaf yn y cyngerdd, dan arweiniad eu harweinydd arferol, W. R. Allen (blaen, trydydd o'r chwith). *Prifysgol Cymru, Gregynog.*

Uchod: Organ Gregynog. Cafodd yr organ ei hadeiladu, yn unol â chyfarwyddiadau manwl Walford Davies, gan wneuthurwr organau o'r enw Frederick Rothwell. Bu'r ddau'n cydweithio o'r blaen yn y Temple Church ac yn Windsor. I ddechrau, ym 1922, roedd ganddi ddau chwaraefwrdd ond cafodd ei hymestyn ddwywaith ac, erbyn 1925 roedd yn organ fawr â thri chwaraefwrdd. Roedd Gwendoline yn organydd dawnus a byddai'n aml yn cyfeilio i Dora Herbert Jones. *Prifysgol Cymru, Gregynog.*

De, top: Syr Adrian Boult gyda Lascelles Abercrombie. Daeth Syr Adrian Boult i Gregynog am y tro cyntaf ym 1925, pan oedd yn arwain y gerddorfa yng Ngŵyl Gerdd Sir Faldwyn. Dychwelodd lawer gwaith wedi hynny i arwain Côr Gregynog. Gwelir ef yma yng Ngregynog yn y 1930au gyda'r bardd Lascelles Abercrombie y perfformiwyd ei waith yn aml yn y Gwyliau. *Casgliad preifat*

Gregynog ar sail cerdd gan James Elroy Flecker. Cwblhaodd Holst y darn corawl, digyfeiliant byr ym 1933 ar ôl bod yng Ngŵyl gyntaf Gregynog, ond bu farw ym mis Mai 1934 ychydig wythnosau cyn i'r darn gael ei berfformio am y tro cyntaf yng Ngŵyl 1934.

Er bod yr ŵyl yn gyfrifol am dynnu sylw at waith newydd gan rai o gyfansoddwyr pwysicaf Prydain tua dechrau'r ugeinfed ganrif, nid oedd yno ddim gwaith avant-garde Ewropeaidd, ar wahân i gylch o ganeuon gan Kodály ym 1938. Yn ddiddorol, ni chafwyd yr un cip ar raglenni Ffrengig Lucie Barbier yn Aberystwyth, ar wahân i un waith ym 1935 pan fu Pedwarawd Rothschild yn cyflwyno'r *Pedwarawd Llinynnol yn F* gan Ravel. Efallai nad yw'n syndod na chafwyd yno lawer o waith avant-garde oherwydd, pan ddaeth yr Hwngariad, Bartók, i Aberystwyth ym 1922 i roi cyngerdd, dywedir bod rhywun wedi clywed Walford Davies yn dweud wedyn 'Annealladwy, yntydi?' Nid tan y 1950au yr ymddangosodd enwau fel Stravinsky yn rhaglenni cyngherddau Gregynog. Efallai mai'r rheswm sylfaenol dros y geidwadaeth gerddorol hon – o gofio am ddelfrydau'r chwiorydd – oedd nad oedd yn fwriad ganddynt herio'r gwrandawyr ond eu cysuro, eu hysbrydoli a chodi eu hysbryd. Mewn rhagair syfrdanol, yn amlwg wedi'i ysgrifennu gan Gwendoline, yn rhaglen Gŵyl 1935, ymddengys fel pe bai'n cyfeirio at yr anniddigrwydd cynyddol yn Ewrop a'r syniad am Gregynog fel rhyw fath o hafan:

> Is there no one who will call a halt to destruction?
> No imaginative mind which through our swiftly growing
> knowledge will reveal anew the wisdom of the eternities?
> Shall we not fill the world with beauty once again?
> Cheating despair, let us fling out across the ether songs of
> glorious hope and courage, till the sound-laden air is so charged
> with beauty that there is no room for despair!

Mae'r ffaith bod cyfansoddiadau gan Peter Warlock wedi'u hychwanegu at y rhaglen (cyngerdd ym 1932 a'r ŵyl ym 1936) yn codi sawl cwestiwn diddorol. Roedd y cyfansoddwr, a fu farw ym 1930, yn byw am ran helaeth o'r amser rhwng 1921 a 1924 yng nghartref y teulu yn Aber-miwl, prin saith milltir o Dregynon ond, hyd y gwyddom, ni chafodd erioed wahoddiad i Gregynog. Mae'n bosib, bod yr enw oedd ganddo fel dyn bohemaidd a'i gysylltiadau honedig â'r ocwlt, yn golygu nad

De: Dora Herbert Jones. Daeth Dora Herbert Jones a Gwendoline yn ffrindiau yn Aberystwyth ac, yn nes ymlaen, adeg y Rhyfel, bu'n gweithio gyda'r chwiorydd mewn caban bwyta yn Ffrainc. Roedd yn gantores ddawnus ac uchel ei pharch oedd yn enwog yn bennaf am hyrwyddo caneuon gwerin Cymreig. Bu ei chyfraniad yn sylweddol at fywyd diwylliannol Gregynog – ym 1927 daeth yn ysgrifenyddes i'r chwiorydd ac i Wasg Gregynog, ac yn nes ymlaen daeth yn ysgrifennydd ac yn llyfrgellydd Côr Gregynog, gan gydweithio â Henry Walford Davies i ddatblygu Gregynog fel canolfan gerddorol. *Llyfrgell Genedlaethol Cymru*

For Gregynog

Soprano Solo

(Senza misura)

O spiritual pilgrim, rise: the night has grown her single horn: The voices of the souls unborn are half a dream with Paradise.

Andante

Soprano
Alto
Chorus
Tenor
Bass

Piano (for rehearsal only)

Andante

God be thy guide from camp to camp: God be thy shade from well to well;

mf

God grant beneath the desert stars thou hear the Prophet's camel bell.

hear the Prophet's

Adagio

And

And

Adagio

God shall make thy body pure, and give thee knowledge to endure This ghost-life's piercing

God shall make thy body pure, and give thee knowledge to endure This ghost-life's

This

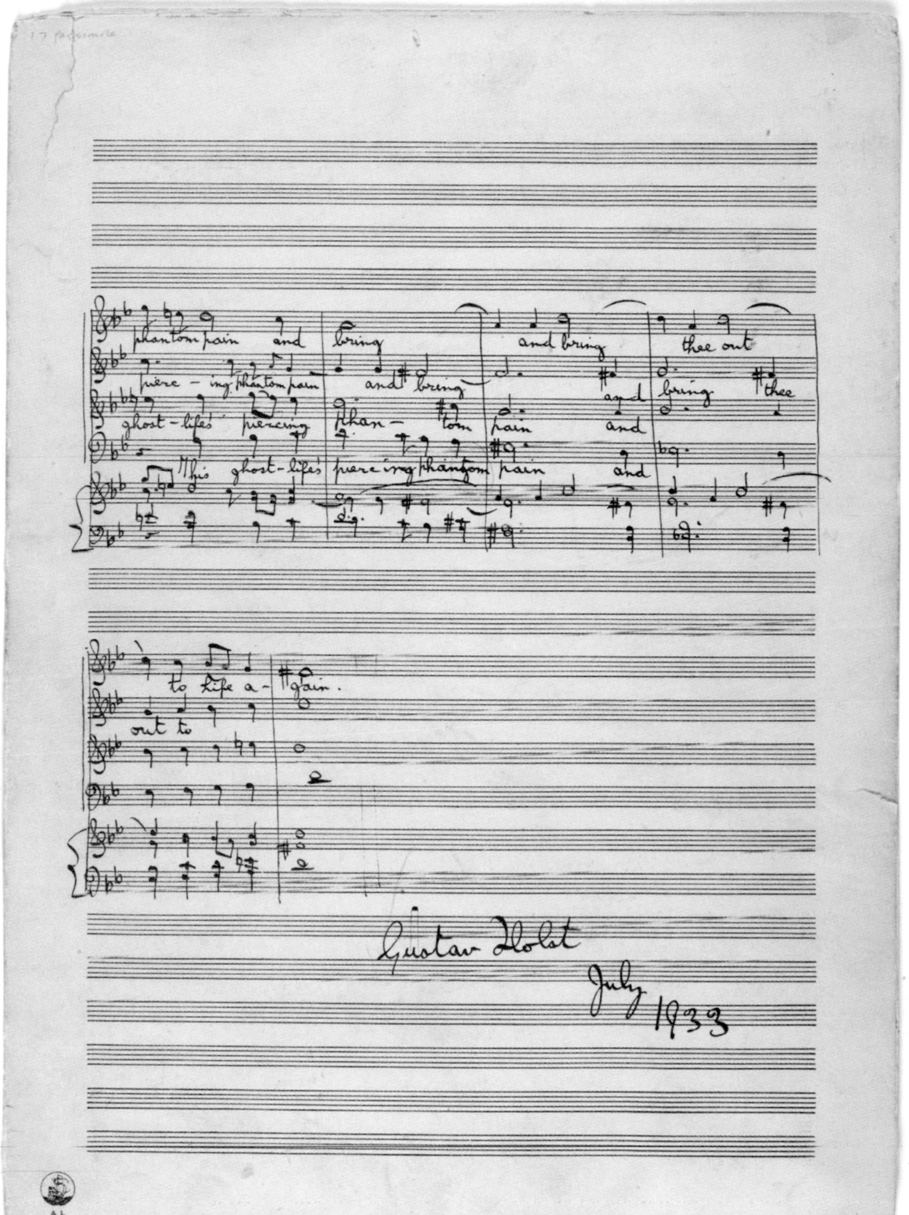

17 facsimile

phantom pain and bring and bring thee out

pierc - ing phantom pain and bring and bring thee

ghost-life's piercing phan - tom pain and

This ghost-life's piercing phantom pain and

to life a - gain.

out to

Gustav Holst

July 1933

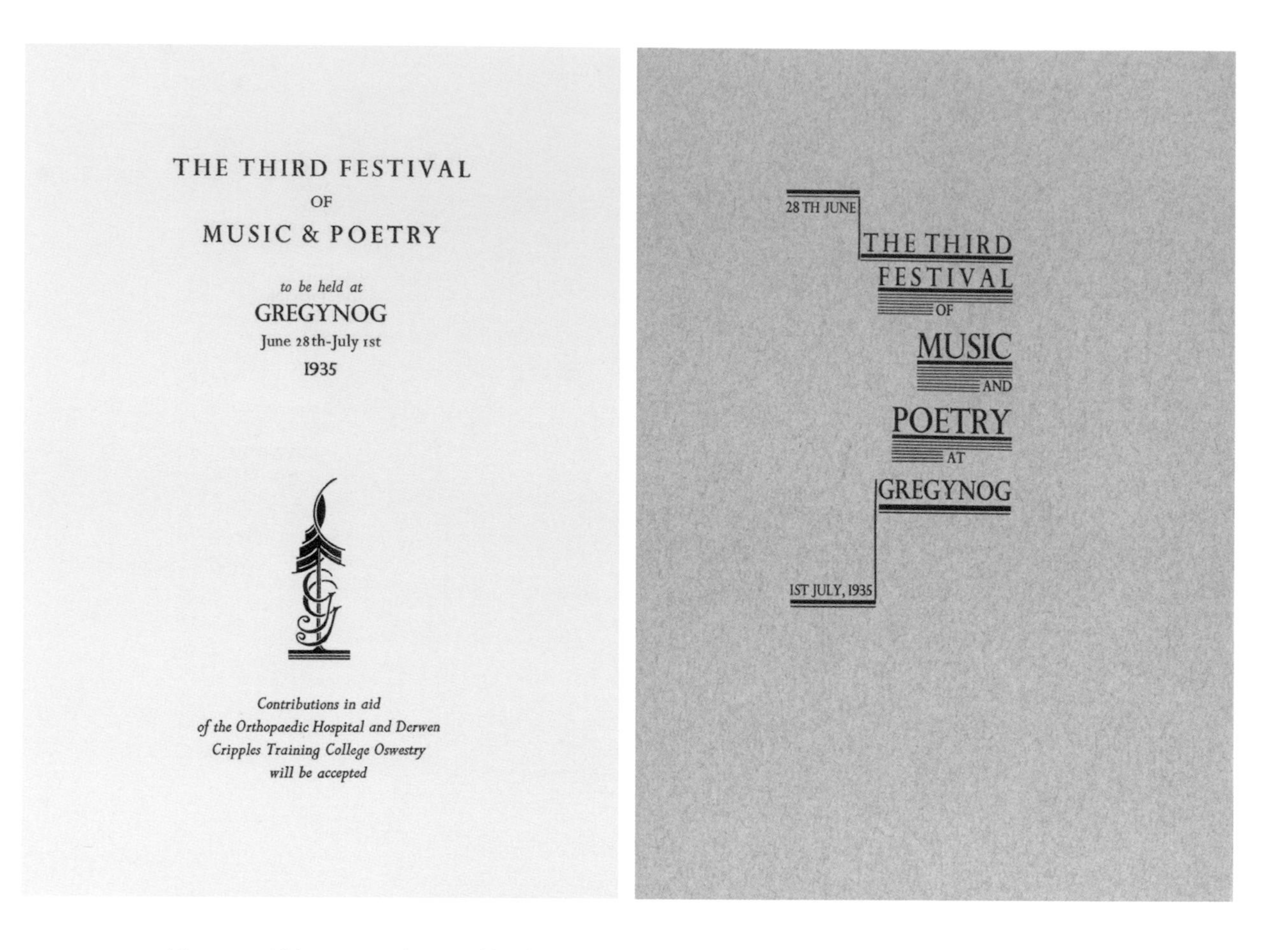

oedd croeso iddo gan y chwiorydd syber. Mae'n eironig braidd bod ei ganeuon yn emau bach hyfryd – ag arnynt ddylanwad cerddoriaeth Oes Elisabeth ac elfen farddonol gref – a'u bod yn gweddu i'r dim i raglen Gregynog.

Tudalennau blaenorol: Sgôr *O Spiritual Pilgrim*. Roedd Holst wedi bwriadu cyflwyno'r gwaith i Dora Herbert Jones gan ei fod yn ei hedmygu'n fawr a'i bod wedi canu iddo sawl gwaith. Darbwyllodd hi ef i'w gyflwyno i'r côr yn lle hynny ond, yn y diwedd, defnyddiwyd y cyflwyniad mwy amwys, '*For Gregynog*'. *Llyfrgell Genedlaethol Cymru*

Uchod: Y rhaglen a baratowyd gan Wasg Gregynog ar gyfer y Drydedd Ŵyl Gerdd a Barddoniaeth ym 1935.

De: Sgôr *Towards the Unknown Region* gan Vaughan Williams, rhwymiad Gwasg Gregynog, a ddyluniwyd gan William McCance a'i chyflwyno i Adrian Boult yng Ngŵyl Gerdd a Barddoniaeth Gregynog.

Bu'n rhaid rhoi'r gorau i gyngherddau a Gwyliau Gregynog pan ddaeth y rhyfel, a throdd y chwiorydd eu sylw at gynorthwyo'r milwyr. Cafodd marwolaeth Walford Davies ym 1941, a Gwendoline ddeng mlynedd wedyn, effaith fawr ar fywyd cerddorol Gregynog ac, er bod sôn am gynlluniau i droi'r plasty'n ganolfan ar gyfer cerddoriaeth Gymreig, ni chafodd y rheiny eu gwireddu. Yng Nghynhadledd Gregynog ym 1952, soniwyd am sefydlu Urdd Cyfansoddwyr ac awgrymodd Margaret y byddai'r plasty'n 'encilfa dawel ar gyfer pobl a ddymunai gyfansoddi cerddoriaeth'. Rhoddwyd y gorau i'r cynllun ym 1954 oherwydd anawsterau staffio, er bod llawer o weithgareddau Cymdeithas Cerddoriaeth Cymru yn cael eu cynnal yng Ngregynog yn y 1950au. Pan benodwyd ef yn Athro Cerddoriaeth Gregynog yn Aberystwyth, aeth Ian Parrott ati i atgyfodi ysbryd cerddorol y lle trwy ailgychwyn yr Ŵyl ym 1955. Cynhaliwyd hi bob blwyddyn tan 1961, gan lynu i raddau helaeth at ethos y rhaglenni cynt ond â phwyslais newydd ar gyfansoddwyr Cymreig cyfoes. Ym 1988, cafodd yr ŵyl ei hadfywio eto, y tro hwn gan y tenor Anthony Rolfe Johnson ac mae'n parhau hyd heddiw o dan gyfarwyddyd Dr Rhian Davies, yn enghraifft ymarferol o etifeddiaeth gerddorol y chwiorydd yng Nghymru.

'ARGRAFFU, RHWYMO A DARLUNIO'

CEINDER GWASG GREGYNOG

UN O'R AGWEDDAU eithriadol ar gyfraniad y chwiorydd Davies at y celfyddydau oedd sefydlu Gwasg Gregynog. Prif nod y Wasg oedd 'helpu i feithrin cariad at bethau hardd ymhlith pobl Cymru, trwy arfer celfyddydau a chrefftau fel argraffu, rhwymo [a] darlunio'. Fodd bynnag, y sawl sydd wedi elwa fwyaf yw gweisg preifat sy'n casglu llyfrau argraffiad cyfyngedig a phobl sy'n ymddiddori yng nghelfyddyd y llyfr cain.

Daeth y Wasg yn un o'r enwocaf o'i bath yn hanner cyntaf yr ugeinfed ganrif, ochr yn ochr â'r *Golden Cockerel Press.* Yr hyn sy'n gwneud y gweisg hyn yn wahanol i'r rhai arferol yw mai busnesau bach, preifat ydynt gan fwyaf, yn argraffu llyfrau cain â llaw ar bapur a wnaed â llaw. I ddechrau, defnyddid gwasg Albion yng Ngregynog ond yn fuan wedyn prynwyd gwasg blaten Victoria.

O'r ddwy chwaer, Gwendoline a wnâi fwyaf i hyrwyddo amcanion a dyheadau'r Wasg, ond roedd nifer o lyfrau o weisg preifat yn llyfrgell y chwiorydd gan gynnwys rhai gan weisg Kelmscott ac Ashendene, sydd yn y Llyfrgell Genedlaethol erbyn hyn. Fodd bynnag, roedd y ddwy chwaer yn cadw'u pellter o waith bob-dydd y wasg, gan ddibynnu ar Thomas Jones, Cadeirydd Bwrdd y Wasg, i oruchwylio'r sefyllfa. Roedd y chwiorydd yn aelodau o'r Bwrdd a fyddai'n cyfarfod yn Llundain a Gregynog. Roedd gan T.J. ran allweddol i'w chwarae ym mhob peth yn ymwneud â Gregynog a'r Wasg, a byddai'n gyfrwng i leddfu'r tyndra a godai weithiau rhwng prif weithwyr y wasg a'r chwiorydd. Cydnabyddir yn gyffredinol na fyddai'r Wasg yn bod heb T.J. Ym 1927, daeth Dora Herbert Jones, cyfaill i'r chwiorydd, yn ysgrifenyddes lawn amser y Wasg.

Mae tri pheth neilltuol am y wasg sy'n ei gwneud yn wahanol i weisg preifat eraill: sef ei bod yn cyhoeddi nifer o lyfrau Cymraeg, ei bod yn rhoi bri ar gynhyrchu argraffiad cyfyngedig o bob cyfrol mewn rhwymiad arbennig ac, yn aml, bod yr artist yn cael cydweithio â'r argraffydd i sicrhau undod llwyr rhwng yr argraffwaith a'r gwaith ysgythru pren.

Rhwng 1923 a 1940, pan roddodd y gorau i gynhyrchu llyfrau, cyhoeddwyd deugain a dau o lyfrau gan y Wasg, a thri arall wedi'u cyhoeddi i'w dosbarthu'n breifat. Roedd hefyd yn gyfrifol am lawer o effemera, fel prosbectysau llyfrau, rhaglenni gwyliau cerdd a thaflenni gwasanaethau, ac fe barhaodd i wneud hynny am gyfnod byr ar ôl 1940. Parhaodd Gwasg Gregynog i fod yn gwmni cyfyngedig tan 1965, pan y daeth i ben yn wirfoddol. Symudwyd y rhan fwyaf o'r offer i'r Llyfrgell Genedlaethol erbyn 1954, er bod Iorwerth Peate, Curadur Amgueddfa Werin Cymru yn Sain Ffagan, wedi ceisio dwyn perswâd ar T.J. ychydig cyn hynny i drosglwyddo'r Wasg i'r Amgueddfa gyda gwaddol fel y gallai barhau i argraffu.

Daw teitl y bennod o femorandwm at y chwiorydd Davies, dyddiedig 27 Mehefin, 1924. Mae'r ffotograff yn dangos teip plwm yn ei gês sydd i'w weld hyd heddiw yng Ngregynog. *Ray Edgar*

Bu Hugh Blaker yn cynghori'r chwiorydd ynghylch prynu gweithiau celf ers 1908, ac ato ef y trodd T.J. a hwythau am gyngor cyn penodi Rheolwr yng Ngregynog i oruchwylio'r hyfforddiant mewn gwahanol grefftau. Gwnaed hyn oherwydd, yn ogystal â'r wasg a'r ganolfan gynadledda, y bwriad gwreiddiol oedd cael gweithdai yng Ngregynog ar gyfer nifer o wahanol grefftau. Roeddent wedi gobeithio cael Cymro'n Rheolwr ond, ar argymhelliad Blaker, penodwyd yr artist Robert Ashwin Maynard, ym mis Chwefror 1921. Cyn symud i Gregynog ym mis Gorffennaf 1922, treuliodd Maynard amser yn Llundain yn dysgu am wahanol agweddau ar gelf a chrefft. Fodd bynnag, argraffu ac ysgythru oedd ei ddiddordeb pennaf. Cynnyrch cyntaf y Wasg oedd cerdyn Nadolig y chwiorydd ar gyfer 1922. Roedd arno ysgythriad pren o Gregynog a'r tir o'i gwmpas gan Maynard. Cynhyrchwyd cardiau Nadolig yno bob blwyddyn tan 1938.

Y flwyddyn wedyn, penodwyd cynorthwywyr cyffredinol i gydweithio â Maynard, sef John Mason, oedd hefyd yn gwneud gwaith rhwymo llyfrau, a John Hugh Jones. Nid dim ond am

Uchod: Ysgythriad pren Robert Maynard o Gastell Baldwyn, a argraffwyd yn y llyfr cyntaf i'r Wasg ei gyhoeddi, *The Poems of George Herbert*. Daw'r llun hwn o gopi personol Gwendoline. Mae ei chasgliad o rwymiadau arbennig ar fenthyg i'r Amgueddfa gan elusennau Gwendoline a Margaret Davies.

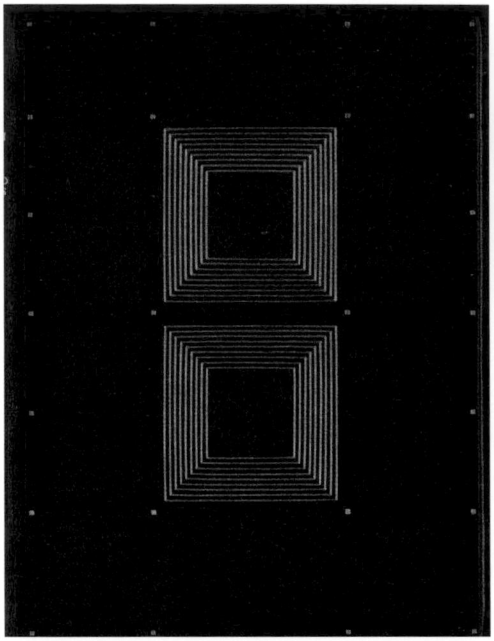

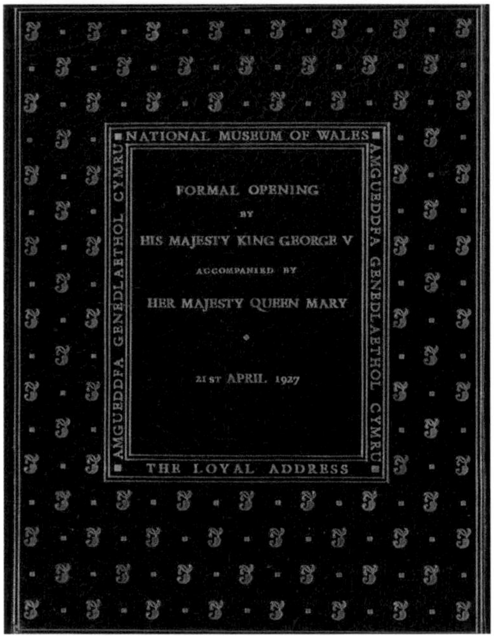

NATIONAL MUSEUM OF WALES

AMGUEDDFA GENEDLAETHOL CYMRU

FORMAL OPENING

BY

HIS MAJESTY KING GEORGE V

ACCOMPANIED BY

HER MAJESTY QUEEN MARY

21ST APRIL 1927

AMGUEDDFA GENEDLAETHOL CYMRU

THE LOYAL ADDRESS

fod staff ychwanegol wedi'u penodi yr oedd 1923 yn flwyddyn bwysig – cyhoeddwyd y llyfr cyntaf ar ddiwedd y flwyddyn honno, sef *The poems of George Herbert*, detholiad o waith y bardd gan Henry Walford Davies. Er mai llyfr bychan ydoedd, cafodd dderbyniad da ymhlith arbenigwyr ar lyfrau. Ysgythrwyd llun o Gastell Baldwyn a'r llythrennau blaen mewn pren gan Maynard ac argraffwyd y llythrennau blaen yn goch. Rhwymwyd yr argraffiad cyffredin mewn lliain a byrddau papur brith, ac ar gyfer yr argraffiadau arbennig, defnyddiwyd rhwymiad lefant rhuddgoch Moroco. Argraffwyd y llyfr ar bapur a wnaed â llaw a defnyddiwyd papur o'r ansawdd hwn ar gyfer yr holl lyfrau, yn cynnwys 'felwm Japaneaidd'.

Tua dechrau 1924, ymunodd Horace Walter Bray â'r Wasg fel artist preswyl. Ymhlith aelodau newydd eraill y staff roedd Idris Jones, a ddeuai'n argraffydd y Wasg yn y blynyddoedd olaf. Cyhoeddwyd ail lyfr, *Poems by Henry Vaughan*. Llyfr bychan oedd hwn, fel y cyntaf, a dewiswyd y cerddi gan y nofelydd a'r bardd Ernest Rhys. Maynard a baratôdd lythrennau blaen y llyfr hwn hefyd ac roedd ef a Bray yn gyfrifol am dri ar ddeg o ysgythriadau pren.

Parhaodd y bartneriaeth rhwng Maynard a Bray yng Ngregynog tan 1930 pan gadawodd y ddau ohonynt i sefydlu *Raven Press*, na fu'n eithriadol o lwyddiannus. Ar ôl cerddi Henry Vaughan, cyhoeddwyd un ar bymtheg o lyfrau eraill a thros drigain o gyhoeddiadau byrhoedlog fel taflenni, rhaglenni ac ati. Penderfyniad campus oedd penodi George Fisher yn rhwymwr tua diwedd 1925. Arhosodd yn y Wasg am ugain mlynedd, yn hwy na neb arall a fu'n gweithio yno. Roedd Fisher yn ei gyfrif ei hun yn grefftwr ac, er na fu'n rhwymo llyfrau ers sawl blwyddyn pan gychwynnodd ar ei waith yng Ngregynog, buan iawn y sylwyd ar ei ddawn. Roedd yn gosod safonau uchel ar gyfer ef ei hun a'i gynorthwywyr. Gwaith Fisher oedd llawer o'r rhwymiadau arbennig ac, yn wir, ef a ddyluniodd rai ohonynt.

Y trydydd llyfr a gyhoeddwyd oedd llyfr Cymraeg cyntaf y Wasg, *Caneuon Ceiriog detholiad*, ym 1925 a'r seithfed llyfr, *The life of Saint David* ym 1927, oedd y cyntaf i'r lliw gael ei roi ynddo â llaw – roedd merched yn lliwio'r ysgythriadau pren yn yr adran rwymo o dan oruchwyliaeth

Chwith, top: Rhwymiad arbennig *Chosen essays* gan Edward Thomas (1926), a ddyluniwyd gan Robert Maynard, ac un o'r enghreifftiau cynharaf o rwymiadau George Fisher.

Rhwymiad arbennig *The life of Saint David* (1927), a ddyluniwyd gan Horace Bray a'i rwymo gan George Fisher.

Chwith, gwaelod: Un o'r copïau o'r rhwymiad arbennig o'r Anerchiad a gyflwynwyd i'r Brenin Siôr V ar achlysur agoriad ffurfiol Amgueddfa Genedlaethol Cymru ar 21 Ebrill 1927. Llofnodwyd y copi hwn gan holl Swyddogion yr Amgueddfa.

Ceir tri chopi o *Llyfr y Pregeth-wr* (1927) yn Llyfrgell yr Amgueddfa, pob un ohonynt â rhwymiad gwahanol. Mae copi Gwen Davies yn un o bedwar a argraffwyd ar felwm, ac mae gan bob un ohonynt rwymiad addurniadol iawn a gafodd ei ddylunio a'i wneud gan George Fisher. O'r ddau arall, a argraffwyd ar bapur a wnaed â llaw, yr argraffiad cyffredin a rwymwyd mewn lliain bwcram glas yw un, ac mae'r trydydd yn un o'r rhwymiadau arbennig lleiaf addurniedig, mewn moroco lefant glas tywyll.

Bray. Roedd mis Tachwedd 1927 yn fis pwysig i'r Wasg oherwydd, yn ogystal â chyhoeddi *The Life of Saint David*, ymddangosodd y llyfr cyntaf ag ynddo ysgythriadau gan artist allanol. *Llyfr y Pregeth-wr* oedd hwn a gwaith yr artist David Jones oedd yr ysgythriadau pren.

Mae *The Life of Saint David* a *Llyfr y Pregeth*-wr yn llyfrau nodedig am reswm arall: ym 1927, ymunodd Herbert John Hodgson â'r staff fel argraffydd. Roedd Hodgson, a fu'n gweithio yn y Wasg tan 1936, ymhlith goreuon yr ugeinfed ganrif am argraffu llyfrau cain a'r ddau lyfr hyn oedd ei gynnyrch cyntaf. Ym mis Ebrill y flwyddyn honno yr agorwyd yr Amgueddfa Genedlaethol yn ffurfiol ac, ar fyr rybudd, cytunodd y Wasg i argraffu rhai copïau o'r Anerchiad a gyflwynwyd i'r Brenin yn y seremoni agoriadol. Yn nwy flynedd lawn olaf Maynard a Bray (1928-9), cyhoeddwyd y gyfrol unplyg gyntaf, *The autobiography of Edward Lord Herbert of Cherbury*, ac un o'r llyfrau mwyaf addurniedig, *Psalmau Dafydd*, wedi'i seilio ar y cyfieithiad ym Meibl William Morgan, 1588. Cafodd *Lord Herbert* ganmoliaeth wresog mewn erthyglau yn y wasg genedlaethol a chan gasglwyr llyfrau. Roedd *Psalmau Dafydd* yn un o'r llyfrau mwyaf poblogaidd a gyhoeddwyd gan y Wasg a buan iawn y prynwyd pob un o'r ddau gant o gopïau a gynhyrchwyd.

Cyn i Maynard a Bray adael, cyhoeddwyd argraffiad o gerddi Christina Rossetti, ac roedd copi ohono i'w weld mewn arddangosfa o hanner can llyfr gorau'r flwyddyn honno yn yr Amgueddfa Brydeinig. Fodd bynnag, nid hwn oedd ffrwyth olaf eu partneriaeth lwyddiannus yng Ngregynog oherwydd roedd llyfrau eraill eisoes ar y gweill ganddynt. Fe ymddangosodd y rhain yn nes ymlaen ym 1930 a 1931, a daeth Maynard yn ôl i oruchwylio'r gwaith cynhyrchu. Ymhlith y llyfrau hyn roedd dwy gyfrol *Elia*, a gwblhawyd tua diwedd 1929 a dechrau 1930, ac sy'n cynnwys rhai o ysgythriadau pren gorau Bray. Un o gyfrolau mwyaf cain y bartneriaeth hon oedd *The stealing of the mare*, â'i hwynebddalen a'i llythrennau blaen eithriadol o hardd wedi'u heuro a'u lliwio â llaw.

Trodd y Bwrdd at Hugh Blaker unwaith eto am gyngor pwy i'w benodi'n Rheolwr yn lle Maynard. Y dyn a gynigiwyd oedd Blair Hughes-Stanton, ond roedd yn well ganddo ef gael swydd artist, ac felly penodwyd William McCance i hen swydd Maynard. Cafodd gwraig McCance, Agnes Miller Parker, a gwraig Hughes-Stanton, Gertrude Hermes, dâl cadw am wneud ysgythriadau ar gyfer y Wasg. A dyna gychwyn oes aur Gregynog, yn sicr o ran darlunio llyfrau, oherwydd roedd Miller Parker a Hughes-Stanton ymhlith ysgythrwyr pren gorau'r

De, top: Robert Maynard a Horace Bray a wnaeth yr ysgythriadau pren ar gyfer *The life of Saint David* (1927). Cawsant eu lliwio â llaw gan staff yn yr adran rwymo.

De, gwaelod: Ysgythriad pren David Jones o *Llyfr y Pregeth-wr* (1927).

XVII. Of the little Bell which was given to Maeddog or Aeddan by Saint David, and how an Angel bore it back to Aeddan over the Irish Sea.

AT this time well nigh the third or fourth part of Ireland was subjeƈt unto David the Waterman. There Maeddog was, who also from his infancy was known as Aeddan, to whom St. David gave the little bell, which was called "Cruedin." But when sailing to Ireland Aeddan forgot his bell. And he sent a messenger to holy David that he might send his beloved little bell back to him. And Saint David said, "Go, boy, again to thy maſter." And lo! the little bell on the morrow was safe in the hand of the good Aeddan, for an Angel bore it across the sea before the boy he sent for it had come thither.

XVIII. How Modomnoc sailed to Ireland, and how his Bees followed him & would not leave him, and of the blessing of the Bees by Saint David.

AFTER that time it was that Modomnoc, having served David with humility for many years, took ship and sailed over to Ireland. Now Modomnoc had attended to

the beehives of the Monaſtery in Vallis Rosina, and when he went down to the ship, behold a swarm of bees followed him, & settled where he sat in the ship's prow. But he, unwilling to take them from the brethren of the Monaſtery returned with them, and came again to Saint David, while they swarmed around him & then flew back to their old beehives. And David blessed him for that humble service. And again, bidding farewell to the father and his brethren, Modomnoc ſtarted on his journey & again the bees followed him. And so it was, yet a second, and a third time. And at the third time Saint David told Modomnoc to take them also. Then David spoke to the bees and blessed them, saying: ¶ "May the land, O bees, to which you go, abound with your offspring. Never may your children be wanting within its shores. For now our own sacred close shall be deserted by you for ever, and your offspring shall no more grow up among us. Go in peace!" ¶ And since that time, as is well known, the island of Ireland is enriched with great ſtore of honey.

GEIRIAU Y PREGETH-WR MAB DAFYDD FRENIN YR HWN OEDD YN IERUSALEM

GWAGEDD O WAGEDD

medd y Pregeth-wr, gwagedd o wagedd, gwagedd yw'r cwbl. Pa fudd sydd i ddŷn oi hôll lafur, a gymmero efe dann yr haul? Un genhedlaeth a aiff ymmaith, a chenhedlaeth arall a ddaw: ond y ddaiar a saif byth. Yr haul hefyd a gyfŷd, a'r haul a fachluda, ac a dynn iw le, lle y mae yn codi. Efe a aiff i'r dehau, ac a amgylcha i'r gogledd: y mae'r gwynt yn myned oddi amgylch, ac yn dychwelyd yn ei gwmpas. Yr hôll afônydd a rêdant i'r môr, ac etto nid yw'r môr yn llawn: i ba le bynnac y rhêdo'r afonydd oddi yno y dychwêlant eil-waith. Pôb peth sydd yn llawn blinder, ni ddichon nêb ei dreuthu: ni chaiff y llygad ddigon o edrych, na'r gluſt o wrando. Y pêth a fu a fydd, a'r peth a wnaed a wnêir, ac nid oes dim newydd dann yr haul. A oes dim y gellir dywedyd, edrych ar hwn, dymma beth newydd: canys efe fu yn yr hên amser o'n blaen ni. Nid oes goffa am y pethau gynt, ac ni bydd coffa am y pethau a ddaw yn ôl, gan y rhai a ddaw ar eu hôl hwynt. ✠ Myfi y Pregeth-wr oeddwn frenin Israêl yn Ierusalem: Ac a roddais fy mrŷd ar geisio, ac ar chwilio am ddoethineb, am bôb peth a wnaed tann y nefoedd: dymma drafael flin a roddes Duw ar feibion dynnion i ymguro ynddi. Mi a welais yr holl weithredoedd y rhai sydd tann haul, ac wele y rhai hynny ôll ydynt wagedd a gorthrymder yspryd.

PSALMAU DAFYDD
YN OL
WILLIAM MORGAN
1588
GWASG GREGYNNOG
1929
GG

ugeinfed ganrif. Aeth Miller Parker ymlaen i weithio ar lu o gomisiynau ar gyfer cyhoeddwyr masnachol yn y 1940au a'r 1950au. Mae llawer o gasglwyr llyfrau yn chwennych llyfrau Gwasg Gregynog sy'n cynnwys eu hysgythriadau nhw. Mae'n anffodus na chafodd *Book of Job* gan McCance nac argraffiad o *Selborne* gan Gilbert White, gydag ysgythriadau gan Hermes, eu hargraffu erioed gan y Wasg (er i'r Wasg Gregynog fodern gyhoeddi'r chwe ysgythriad cyflawn ar gyfer *Selborne* ym 1988). Nid oedd yr amser a dreuliodd y pedwar hyn yng Ngregynog yn gyfnod arbennig o hapus am resymau personol a phroffesiynol, ac roedd rhai o ysgythriadau erotig Hughes-Stanton yn achos pryder i'r Bwrdd. Gwrthodwyd ysgythriadau Hughes-Stanton ac wedyn rai Hermes ar gyfer *The lovers' song-book* o waith W. H. Davies, ac ni welodd y llyfr olau dydd tan tua diwedd 1933. Nid oedd yn cynnwys darluniau ac roedd ymhlith llyfrau lleiaf deniadol y Wasg.

Y llyfr cyntaf i gael ei gynhyrchu gan McCance/Hughes-Stanton oedd *Comus* gan John Milton, a gyhoeddwyd ym mis Medi 1931. Roedd hwn, a dau lyfr o gyfnod Maynard/Bray ymhlith y rhai a oedd i'w gweld yn arddangosfa hanner can llyfr gorau 1931 ym 1932. Trefnwyd *Comus* gan McCance a chafwyd cymorth Hughes-Stanton gyda'r gwaith argraffu a dylunio. Ef hefyd a wnaeth yr wyth ysgythriad ac a ddyluniodd y rhwymiad arbennig, eithriadol o hardd, mewn Moroco lefant lliw llwydfrown. Un agwedd nodedig ar bartneriaeth y ddau ddyn hyn oedd cynlluniau cywrain rhai o'r rhwymiadau arbennig. Aeth Hughes-Stanton ymlaen i ddylunio chwe argraffiad arbennig i gyd, tri ohonynt yn gomisiynau ar ôl iddo adael Gregynog, a dyluniwyd dau gan McCance. Ymhlith cyhoeddiadau 1932 roedd *The fables of Esope*, gyda nifer o ysgythriadau gan Miller Parker. Rhwymwyd yr argraffiad cyffredin mewn croen dafad Cymreig a'r argraffiad arbennig mewn moroco lefant mwy addurniedig a ddyluniwyd gan McCance. Dyluniodd argraffiad arbennig arall y flwyddyn honno hefyd sef *The singing caravan* gan Robert Vansittart. Roedd patrwm cywrain o linellau aur ar y rhwymiad ac roedd ganddo labed ymyl blaen yn y dull dwyreiniol.

Roedd 1933 yn flwyddyn a hanner i'r Wasg. Gadawodd McCance a Hughes-Stanton ym mis Medi, ac ar ôl hynny doedd yno ddim Rheolwr preswyl nac artist. Cynhyrchwyd dau o lyfrau pwysicaf Gregynog, er mai'r flwyddyn wedyn y cyhoeddwyd un ohonynt. *The revelation of Saint John the Divine* a *The lamentations of Jeremiah* oedd y rhain a chawsant eu dylunio a'u darlunio gan Hughes-Stanton. Ef hefyd a ddyluniodd y rhwymiadau arbennig a gellir dadlau mai'r rhain oedd gwaith gorau Fisher. Yn ogystal, roedd dawn Hodgson fel argraffydd yn cyfrannu'n fawr at werth esthetig y llyfrau hyn. Ymddangosodd casgliad John Sampson o *XXI Welsh gypsy folk-tales* hefyd gydag ysgythriadau pren gan Agnes Miller Parker.

Chwith: Tudalen deitl *Psalmau Dafydd* (1929) - yr ysbrydoliaeth ar gyfer y motiffau ar dudalennau teitl ein penodau.

Llwyddwyd i ddarbwyllo'r Americanwr, Loyd Haberly, i ddod yn Rheolwr rhan amser y Wasg tua dechrau 1934. Dora Herbert Jones fu'n goruchwylio'r gwaith o ddydd i ddydd ers y mis Medi cynt. Ymddiswyddodd Haberly ar ôl dwy flynedd a daeth James Wardrop o Amgueddfa Victoria ac Albert yn Rheolwr rhan amser yn haf 1936 ar ôl i Thomas Jones gael cryn anhawster i gael rhywun yn lle Haberly. Ychydig ar ôl dechrau'r Ail Ryfel Byd, rhoddodd Wardrop y gorau i'r swydd. Llyfr olaf Gwasg Gregynog oedd *Lyrics and unfinished poems*, gan Lascelles Abercrombie, oedd yn ymwelydd cyson â Gregynog. Fe'i cyhoeddwyd ym mis Awst 1940.

Yn dilyn ymadawiad McCance a Hughes-Stanton, cynhyrchodd y Wasg 14 o lyfrau eraill, ynghyd â dau ar gyfer cylchrediad preifat. Mae nifer ohonynt yn cynnwys rhyw nodweddion arbennig ond nid oes yr un i'w gymharu â goreuon y Wasg tua dechrau'r 1930au. *Eros and Psyche* (1935) oedd yr unig lyfr i ddefnyddio teip newydd Gregynog. Cyfrifir mai *Cyrupaedia* (1936) yw'r llyfr gorau i gael ei gyhoeddi yn ystod cyfnod Haberly, yn enwedig gan ei fod yn cynnwys llythrennau blaen wedi'u lliwio â llaw. Rhwymwyd y llyfr hwn gan Fisher gan ddefnyddio dyluniad y Fonesig Cartwright o Aynho ac, er bod yr argraffiad arbennig yn un o lyfrau lleiaf deniadol y Wasg, mae'r argraffiad cyffredin gan Bowen, ei gynhorthwy-ydd, mewn croen gafr lliw gwyrdd ag arno addurniadau arosod, dipyn yn harddach.

The story of a red-deer (1935/6) oedd yr unig lyfr a gynhyrchwyd yng Ngregynog â'r darluniau wedi'u hargraffu mewn lliw. Hughes-Stanton a ddyluniodd rwymiad arbennig *Caelica* (1937) gan Greville, a Wardrop a'i wraig Evelyn oedd yn gyfrifol am y rhwymiad cyffredin. Llyfr arall a gyhoeddwyd gan y Wasg ym 1937 oedd *The history of Saint Louis*, yn cynnwys gwaith nifer o artistiaid. Y farn gyffredinol yw mai hwn yw'r enghraifft orau o waith Wardrop yng Ngregynog a bod y dudalen agoriadol gyda'r orau a argraffwyd erioed. Y flwyddyn ganlynol, cyhoeddwyd llyfr bach hyfryd o'r enw *The praise and happinesse of countrie-life* gan Guevara gydag ysgythriadau gan Reynolds Stone.

Un o'r ychydig lyfrau yr oedd y rhwymiad cyffredin yn rhagori ar yr un arbennig oedd *Shaw gives himself away* (1939) gan George Bernard Shaw. Gwahoddwyd yr artist Paul Nash i ddylunio'r rhwymiadau ar ôl i Gwendoline Davies ei hunan wrthod dyluniad Fisher a Wardrop. Fodd bynnag, dim ond gwaith Nash ar gyfer y rhwymiad cyffredin a ddefnyddiwyd. Roedd hwn yn cynnwys addurniadau arosod oren (wedi'u seilio ar lythrennau blaen enw Shaw) ar *oasis* gwyrdd tywyll a gwnaeth Fisher ddyluniad newydd ar gyfer yr argraffiad arbennig.

Bu rhai pobl yn feirniadol o Wasg Gregynog: ychydig oedd cynnyrch y Wasg ac ni ellir honni iddi gyflawni ei holl amcanion gwreiddiol. Serch hynny, mae'r cyfrolau gorau a gyhoeddwyd

De: Wynebddalen *The stealing of the mare* (1930), gwaith Robert Maynard.

THE SECOND FABLE *is of the auncyent* WESEL *and of the* RAT:

YTTE IS BETTER THAN force or ſtrengthe: As rehereeth to vs this fable of an old weſel: the whiche myghte no more take no rats: wherfore ſhe was ofte ſore hongry and bethought her that ſhe ſhold hyde her ſelf withynne the flowre for to take the rats whiche came there for to ete hit: And as the rats came to the floure: ſhe took and ete them eche one after other: And as the oldeſt rat of all perceyued & knewe her malyce: he ſayd thus in hym ſelf: Certaynly I ſhalle kepe me wel fro the: For I knowe alle thy malyce & falſhede ℭ And therfore he is wyſe that ſcapeth the wytte and malyce of evylle folke: by wytte and not by force

THE THIRDE FABLE *is of the* WULF *and of the* SHEEPHERD *and of the* HUNTER

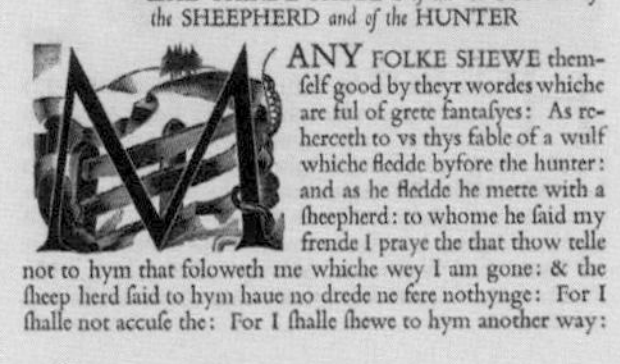

ANY FOLKE SHEWE themſelf good by theyr wordes whiche are ful of grete fantaſyes: As rehereeth to vs thys fable of a wulf whiche fledde byfore the hunter: and as he fledde he mette with a ſheepherd: to whome he ſaid my frende I praye the that thow telle not to hym that foloweth me whiche wey I am gone: & the ſheep herd ſaid to hym haue no drede ne fere nothynge: For I ſhalle not accuſe the: For I ſhalle ſhewe to hym another way:

And as the hunter came: he demaunded of the ſheepherd yf he had ſene the wulf paſſe: And the hunter both with the heed and of the eyen ſhewed to the hunter the place where the wulf was: & with the hand and the tongue ſhewed alle the contrarye: And incontynent the hunter vnderſtood hym wel: But the wulf whiche perceyued wel all the fayned maners of the ſheepherd fled awey: ℭ And within a lytyl whylle after the ſheepherd encountred and mette with the wulf: to whome he ſayd: paye me of that I haue kepte the ſecrete: ℭ And thenne the wulf anſuered to hym in this maner: I thanke thyn handes and thy tongue: and not thyn hede ne thyn eyen: For by them I ſhold haue ben betrayed: yf I had not fledde aweye: ℭ And therfore men muſt not truſte in hym that hath two faces and two tongues: for ſuche folk is lyke and ſemblable to the ſcorpion: the whiche enoynteth with his tongue: and pryckerh ſore with his taylle

THE FOURTH FABLE *is of* IUNO THE GODDESSE *and of the* PECÓK *and of the* NYGHTYNGALE

VERY ONE OUGHTE TO BE content of kynde: and of ſuche good as god hath ſente vnto hym: wherof he muſt vſe Iuſtly: As rehereeth this fable of a pecok whiche came to Iuno the goddeſſe: and ſayd to her I am heuy and ſorowful: by cauſe I can not ſynge as wel as the nyghtyngale For euery one mocketh and ſcorneth me: by cauſe I can not ſynge: And Iuno would comforte hym and ſayd: thy fayre forme and beaute is fayrer and more worthy and of gretter preyſynge than the ſonge of the nyghtyngale: For thy fethers and thy colour

COMUS

A MASK BY JOHN MILTON

WITH A FRONTISPIECE AND THE SIX CHARACTERS IN COSTUME DESIGNED AND ENGRAVED ON WOOD BY BLAIR HUGHES-STANTON

THE GREGYNOG PRESS
MCMXXXI

yng nghyfnodau Maynard a McCance yn haeddu eu lle ymhlith llyfrau cain gorau'r ugeinfed ganrif. Mae'r traddodiad hwn o argraffu a rhwymo llyfrau cain yng Nghymru wedi parhau ers y 1970au gydag olynydd y Wasg wreiddiol.

Mae'r Wasg yn wahanol i fentrau diwylliannol eraill y chwiorydd gan mai rhan fechan oedd ganddynt hwy yn y gwaith. Er bod Margaret yn ysgythrwraig bur ddawnus, ymddengys na chafodd lawer i'w wneud ag artistiaid y Wasg ac roedd bywyd bohemaidd criw'r wasg neu'r '*Press Gang*' fel yr oedd rhai'n eu galw, yn ddigon i godi ofn ar rai o drigolion cymuned dawel Tregynon. Serch hynny, roedd y Wasg yn rhan bwysig o waith Gregynog rhwng y ddau ryfel. Fel rheol, byddai'r bobl a ddeuai i ymweld â'r tŷ yn cael mynd i weld y Wasg, a chofnodwyd eu henwau yn y llyfr ymwelwyr yno. Mae'r effemera a gyhoeddwyd yno yn adlewyrchu holl rychwant bywyd yng Ngregynog, ac mae'r llyfrau a gyhoeddwyd yn arwydd o ddymuniad y chwiorydd i greu cerddoriaeth a chelfyddydau gweledol hardd a Chymreig.

Diolchiadau

Hoffai'r awdur ddiolch i David Vickers yng Ngwasg Gregynog am ei gymorth, ond i lyfr Dorothy Harrop am y Wasg y mae'r ddyled fwyaf oherwydd hebddo ni fyddai modd ysgrifennu'r bennod hon.

Top, chwith: *The fables of Esope (1932).* Daeth ysgythriadau pren Agnes Miller Parker ar gyfer y llyfr hwn, a *XXI Welsh gypsy folk-tales* (1933), â hi i sylw'r cyhoedd fel un o ysgythrwyr pren gorau'r ugeinfed ganrif. Cafodd y llyfr ganmoliaeth helaeth a dywedodd Argraffydd Gwasg Prifysgol Caergrawnt wrth Thomas Jones na welodd erioed lyfr wedi'i argraffu mor hardd.

Gwaelod, chwith: Tudalen deitl a wynebddalen *Comus* gan Milton (1931), llyfr cyntaf partneriaeth McCance a Hughes-Stanton ar gychwyn oes aur y Wasg o ran darlunio a dylunio rhwymiadau cain.

Uchod: Un o dudalennau *The story of the red-deer* (1935/6), llyfr i blant, sef y llyfr olaf a gynhyrchwyd gan Loyd Haberly tra oedd yn Rheolwr y Wasg.

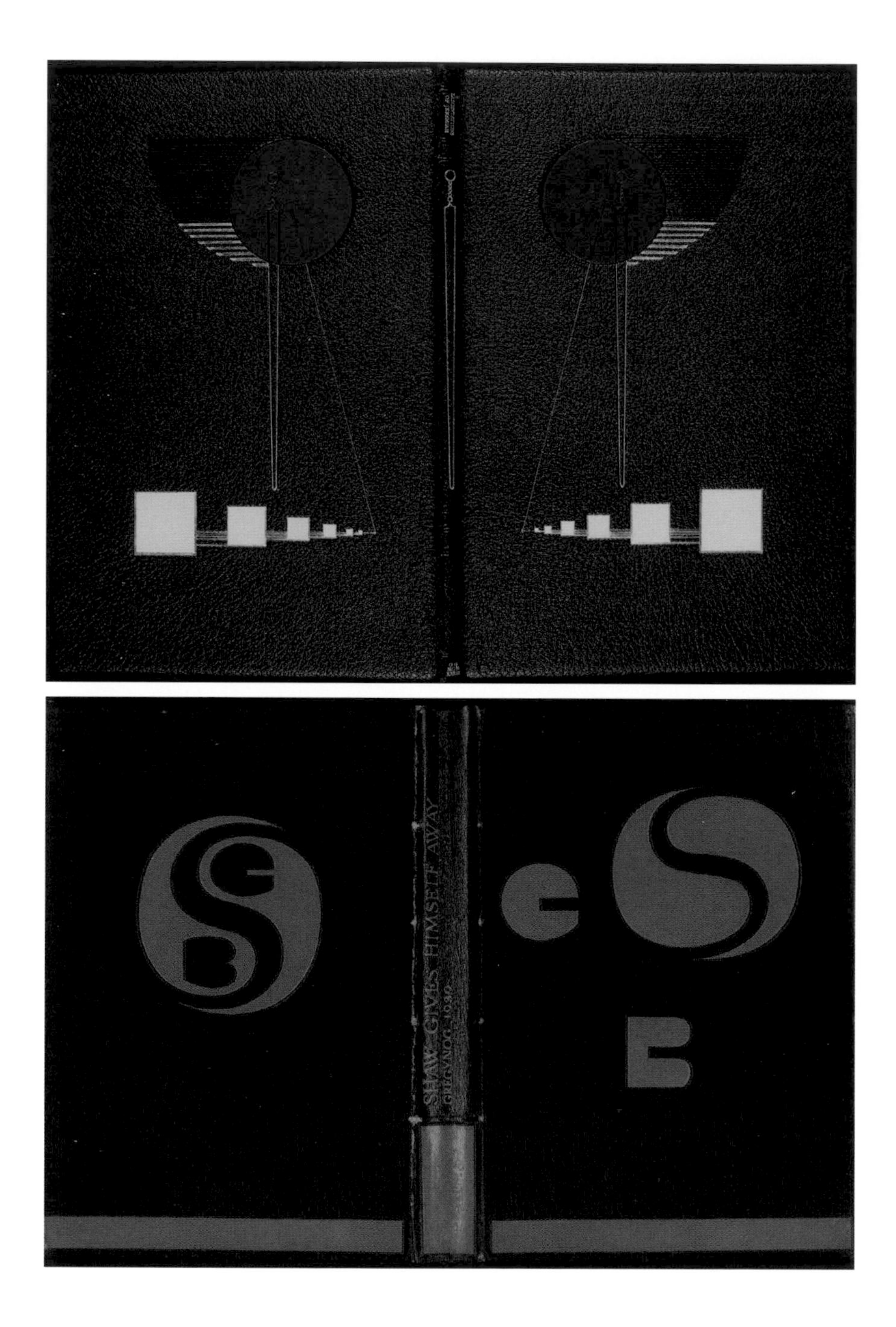
SHAW GIVES HIMSELF AWAY
GREGYNOG 1930

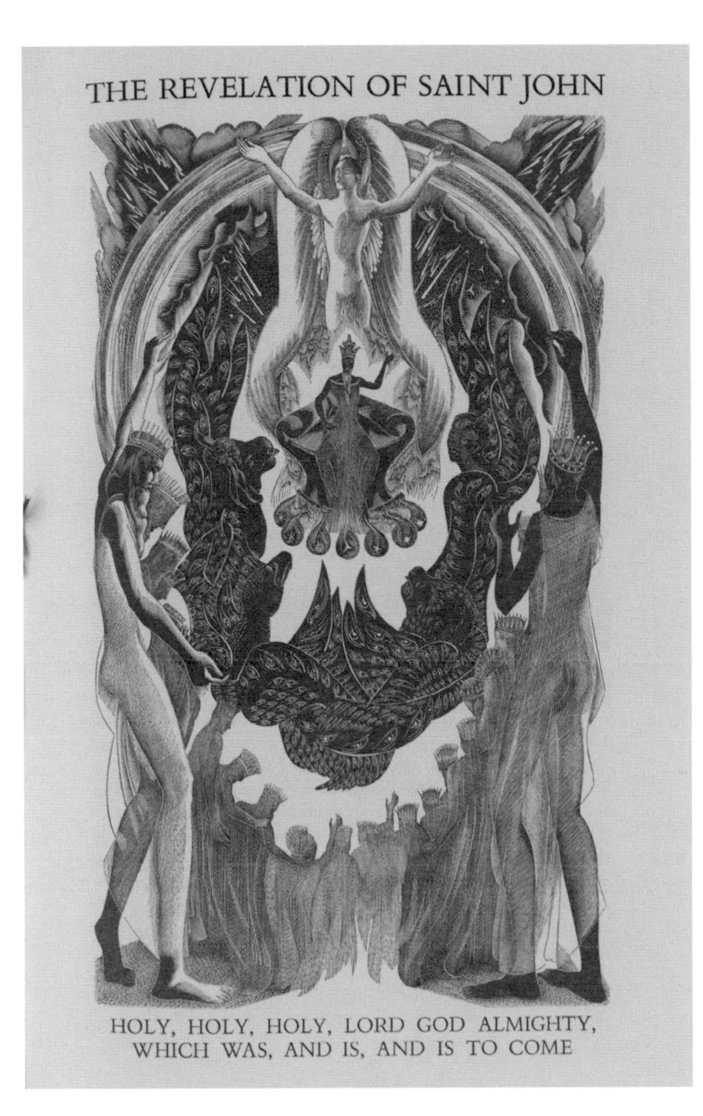

Chwith, top: Rhwymiad arbennig George Fisher o *The lamentation of Jeremiah* (1933), yn defnyddio dyluniad Blair Hughes-Stanton.

Chwith, gwaelod: Rhwymiad cyffredin *Shaw gives himself away* (1939), a ddyluniwyd gan Paul Nash, gydag addurniadau arosod oren ar *oasis* gwyrdd tywyll. Seiliwyd yr addurniadau arosod ar lythrennau blaen enw George Bernard Shaw.

Uchod: Tudalennau o *The revelation of Saint John the Divine* (1933), gyda rhai o ysgythriadau pren dramatig, erotig bron, Blair Hughes-Stanton. Mae arddull yr artist hwn yn wahanol iawn i ysgythriadau Miller Parker, ond mae ei ysgythriadau'n dechnegol wych, ac mae'r effaith ar y dudalen yn pwysleisio safon uchel argraffu Herbert Hodgson.

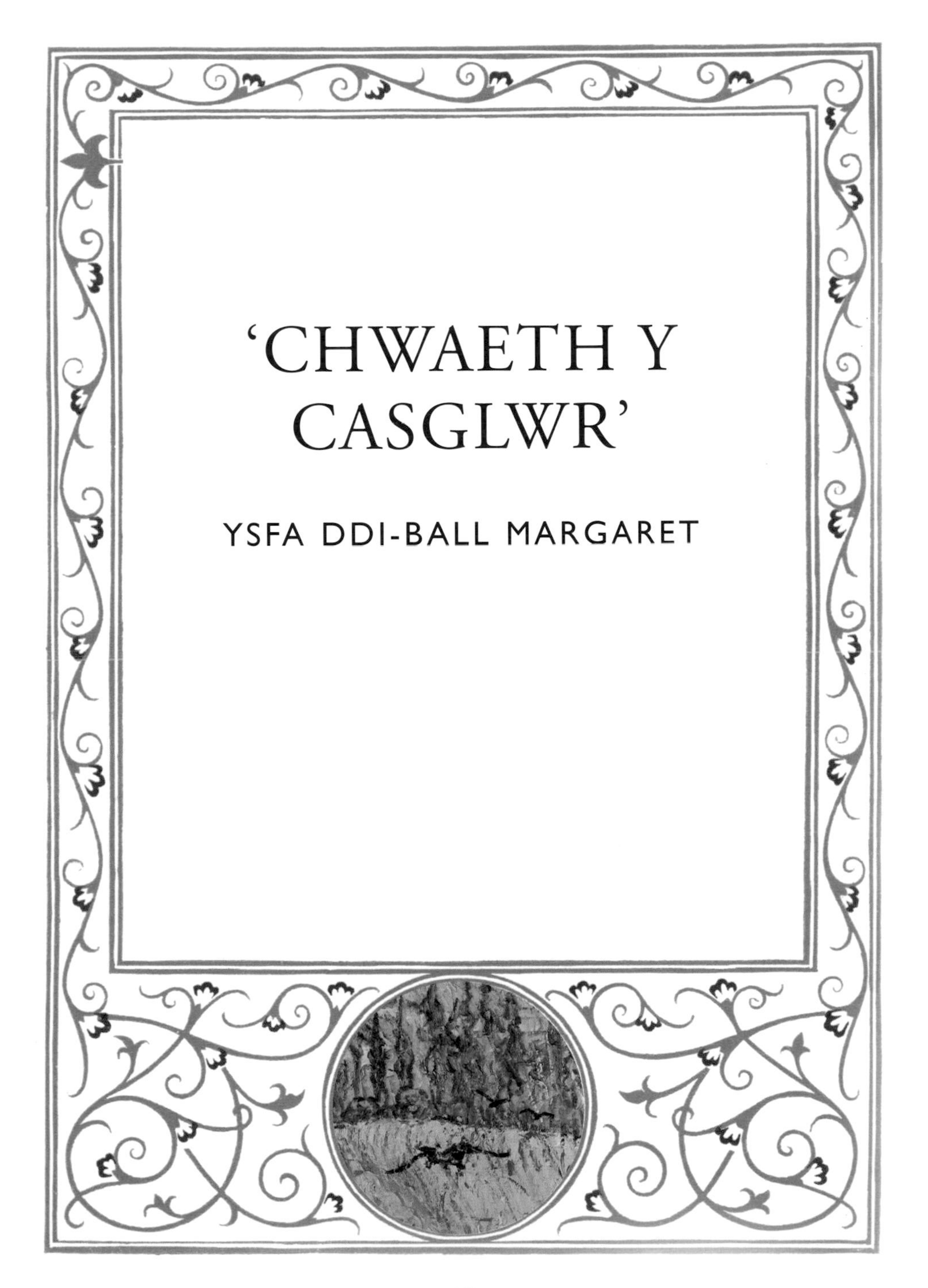

'CHWAETH Y CASGLWR'

YSFA DDI-BALL MARGARET

YN DDI-OS, AM gasglu'r darluniau Argraffiadol ac Ôl-argraffiadol sydd yn y casgliad cenedlaethol erbyn hyn y mae Margaret Davies yn fwyaf adnabyddus. Yn wahanol i'w chwaer, daliodd Margaret ati i gasglu, gyda thoriad eithaf byr, tan ddiwedd ei hoes (prynodd ei darn diwethaf ym 1962, y flwyddyn cyn ei marw). Mae ei chasgliad o luniau Prydeinig modern yn rhan bwysig, ond llai adnabyddus, o'r casgliad cenedlaethol.

Er bod y chwiorydd yn prynu ar wahân, roeddent yn edrych ar y casgliad fel un. Cafodd ei rannu dros dro pan symudwyd y darnau a adawodd Gwendoline i'r Amgueddfa ym 1952, ond i'r Amgueddfa yr aeth rhan Margaret o'r casgliad yn y pen draw hefyd. Mae'n debyg bod rhai o'r darnau a brynodd Margaret tua'r diwedd wedi llenwi rhai o'r bylchau yng Ngregynog ond mae hefyd yn debygol ei bod yn dewis y darnau gan feddwl am gasgliad yr Amgueddfa o gelfyddyd fodern Brydeinig. Felly, mae angen ystyried swyddogaeth ei chynghorwyr a faint o bwyslais a roddwyd ar ei chwaeth bersonol wrth ddewis y darnau.

Roedd Gwendoline a Margaret yn dal i brynu gweithiau celfyddyd yn syth ar ôl y Rhyfel Byd Cyntaf. Yn wir, yn ystod y cyfnod hwn y prynwyd rhai o'u darnau enwocaf a mwyaf costus. Ym mis Mawrth 1920, prynodd Gwendoline ei thrydydd cynfas mawr gan Cézanne, *Bywyd Llonydd a Thebot*, ac ymhen y mis roedd yn prynu'r darlun eithriadol o waith diweddar van Gogh, *Glaw – Auvers*. Tua'r un pryd, prynodd Margaret ddarnau gan Pissarro, Vlaminck a Dérain. Er eu bod yn dal i brynu lluniau gan hen ffefrynnau fel Turner, Boudin, Daumier, Carrière ac Augustus John, rhwng 1919 a 1923 fe brynwyd nifer o ddarluniau gan yr Hen Feistri hefyd, yn cynnwys dau lun o'r Forwyn Fair o gyfnod y Dadeni a briodolwyd i Botticelli. Prynwyd un o'r lluniau hyn, portread o fenyw a wnaed yn yr Iseldiroedd yn yr ail ganrif ar bymtheg, oddi wrth Hugh Blaker am £9,000, ac roedd yn un o'r lluniau mwyaf costus a brynwyd erioed ar gyfer y casgliad.

Rhoddodd Gwendoline y gorau i gasglu ym 1926 (tirlun gan Richard Wilson oedd y darn olaf iddi ei brynu), gan ei bod am ddefnyddio'i hegni – a'i harian – yn gwneud gwaith mwy dyngarol. Ysgrifennodd at Thomas Jones i ddweud ei bod yn ei chael yn anodd prynu darnau o gelfyddyd gan ei bod yn gweld pobl mewn angen dybryd. 'Wedi'r cyfan,' ysgrifennodd, 'ar bobl y mae angen cymorth a chydymdeimlad'. Er bod ei chwaer wedi rhoi ei bryd ar leddfu effeithiau tlodi, parhaodd Margaret i beintio a chasglu, ac eithrio toriad byr rhwng 1927 a 1934.

Tudalen flaenorol: Vanessa Bell, *Dahlias a Chlychau Llundain*. Prynwyd gan Margaret o Oriel Redfern ym 1937. *© Ystad Vanessa Bell, trwy garedigrwydd Henrietta Garnett*

De: Ffotograff o Margaret Davies y credir iddo gael ei dynnu pan oedd yn ei chwedegau hwyr. Daliodd Margaret ati i gasglu hyd nes iddi farw ym 1963. Ymhlith y darnau diwethaf iddi eu prynu roedd *Mornington Crescent* gan Spencer Gore a *Thirlun â Choelcerth* gan Oskar Kokoshka. *Casgliad preifat*

Ar ôl y seibiant hwn, newidiodd ei phwyslais a dechreuodd gasglu mwy o waith Prydeinig modern yn hytrach na gwaith Ewropeaidd, ei ffefryn gynt.

Pan ailddechreuodd Margaret gasglu a phrynu gweithiau modern o Brydain, fel casglwr preifat y gwnâi hynny. Mae dibenion casgliadau preifat a rhai cyhoeddus yn debyg i raddau helaeth, sef ysbrydoli, addysgu a rhoi mwynhad. Fodd bynnag, mae gan amgueddfeydd y dasg o ddiogelu arteffactau a sicrhau eu bod ar gael ar gyfer y cyhoedd. Wrth brynu ar gyfer casgliad preifat, cyfyngiadau personol sydd arnoch – chwaeth, hoffter, lle a chyfyngiadau ariannol er enghraifft. Mae sefydliadau cyhoeddus yn cael arian cyhoeddus. Felly, mae'n rhaid iddynt gydymffurfio â pholisïau a strategaethau penodol wrth gasglu. Gellir dadlau eu bod yn mynd ati mewn ffordd mwy trefnus: gwneir penderfyniadau gwrthrychol am weithiau ac artistiaid unigol, a rhaid ystyried eu perthnasedd i'r casgliad yn gyffredinol a'u pwysigrwydd hanesyddol ymhlith pethau eraill.

Roedd yr addysg a gafodd y chwiorydd Davies mewn hanes celfyddyd ym 1907-08 yn eang iawn ond nid oedd yn cynnwys gwersi ar lawer o artistiaid cyfoes ac roedd y rhai y gwnaethant eu hastudio yn rhai a oedd wedi ennill eu plwyf, nid yn rhan o'r avant-garde cyfoes. Er enghraifft, roedd Rodin yn chwe deg wyth ac yn cael ei gydnabod yn un o gerflunwyr mawr ei oes. Dysgodd y chwiorydd ragor dros y blynyddoedd oddi wrth gynghorwyr ac o lyfrau, ond gellir dadlau mai Margaret oedd y mwyaf blaengar ei chwaeth o'r ddwy. Roedd ei chymynrodd hi yn fwy o faint ac yn fwy eang nag un Gwendoline, yn rhannol oherwydd iddi gasglu am gyfnod hwy. Roedd yn cynnwys 108 o beintiadau, pedwar deg dau o weithiau ar bapur ac un cerflun. Yn ogystal, mae cymynrodd Margaret yn fwy amrywiol, gyda llai o artistiaid enwog, yn wir mae'n cynnwys sawl un sydd bron yn anhysbys. Serch hynny, ni ddylid dod i'r casgliad nad yw'n waith o safon uchel. Roedd Margaret yn fwy tueddol o fentro wrth brynu darnau celfyddyd ac, er ei bod yn cymryd cyngor, ei barn ei hunan oedd yn cael y lle blaenaf. Ym 1924, ysgrifennodd Gwendoline am bwysigrwydd chwaeth a barn bersonol y casglwr, 'y peth gorau am gasglu yw ei wneud eich hunan – gyda chymorth arbenigwyr, mae'n wir, ond mae dyn yn hoffi dewis drosto'i hunan. Trwy'r holl amser yr ydym ni wedi bod yn casglu lluniau, nid ydym erioed wedi prynu un heb ei weld neu o leiaf weld ffotograff ohono'. Parhaodd yr athroniaeth hon yn berthnasol i Margaret tan ddiwedd ei hoes.

Yn ogystal â chelfyddyd fodern o Brydain, dechreuodd Margaret ganolbwyntio ar weithiau gan artistiaid o Gymru. Mae'n bosib iddi wneud hyn er mwyn cefnogi a hyrwyddo celfyddyd yng Nghymru. Erbyn iddi ailddechrau casglu tua dechrau'r 1930au, roedd y gymuned gelfyddydol yn fwy awyddus i godi ymwybyddiaeth y cyhoedd o gelfyddyd gyfoes yng Nghymru. Y datblygiad pwysicaf oedd sefydlu Cymdeithas Celfyddyd Gyfoes Cymru ym 1935; roedd y

ddwy chwaer yn bresennol yn y cyfarfod cyntaf ac, ym 1954, daeth Margaret yn brynwr y Gymdeithas. Yn ystod y blynyddoedd hyn, prynodd Margaret ddarnau gan Kyffin Williams, Cedric Morris, J. D. Innes, Esther Grainger, Josef Herman ac Edward Morland Lewis ymhlith eraill ar gyfer ei chasgliad hi ei hunan. Prynodd ddarnau gan artistiaid oedd yn gweithio yn Lloegr hefyd, fel Harold Gilman, Walter Sickert, Ronald Ossary Dunlop a Vanessa Bell. Fel y gwnâi pan oedd yn casglu o'r blaen, roedd yn aml yn holi barn cyn prynu ac un o'i phrif gynghorwyr ar ôl marwolaeth Blaker oedd Murray Urquhart, cyn-artist a hen gyfaill i'r teulu. Prynodd Margaret beth o'i waith ef hefyd.

Roedd gan Margaret ryddid y casglwr preifat, ac roedd yn haws iddi gymryd risg wrth brynu na phe bai'n prynu ar gyfer casgliad cyhoeddus. O blith yr artistiaid modern o Brydain, prynodd waith gan Stanley Spencer, John Piper, Paul Nash (yn cynnwys ei luniau o Gregynog, cynnyrch y cyfnod y bu'n aros gyda'r chwiorydd ym 1938) a John Nash. Mae'r ffaith na cheir llawer o 'grwpiau' cynhwysfawr o arlunwyr yng nghasgliad Margaret yn awgrym arall ei bod yn prynu yn ôl ei chwaeth. Er enghraifft, er bod ganddi ddarnau o waith Walter Sickert, Harold Gilman, Spencer Gore a Percy Wyndham Lewis o Grŵp Camden Town, ni wnaeth ymdrech i brynu darnau gan yr aelodau eraill. Mae hyn yn wir hefyd am grwpiau amlwg fel Bloomsbury a St Ives, yr oedd ganddi ddarnau gan ddim ond un neu ddau o'r aelodau unigol.

Uchod: Vincent van Gogh, *Glaw – Auvers* (1890). Prynodd Gwendoline y llun yma am £2,000 yn fuan wedi'r Rhyfel Byd Cyntaf ym mis Ebrill 1920.

Er iddi brynu nifer o luniau gan artistiaid anadnabyddus, fe brynodd lawer gan enwogion hefyd. Er enghraifft, prynodd Margaret waith gan Cedric Morris cyn i sefydliadau cenedlaethol fel y Tate wneud hynny, a phrynodd weithiau gan artistiaid eraill fel Ivon Hitchens a Terry Frost ar yr un pryd â'r Tate. (Yn wir, bryd hynny, roedd y Tate yn prynu'r gweithiau hyn yn unigol neu fesul ychydig, nid aethant ati i ehangu eu casgliadau tan lawer yn ddiweddarach.) Yn yr un modd, polisi Margaret ar y cyfan oedd prynu un darn gan artist. Ni cheisiodd gynnwys gwahanol agweddau ar eu celfyddyd, dim ond cael cynrychiolaeth ohonynt. Roedd hyn yn wir

Tudalennau nesaf:

Percy Wyndham Lewis, Ezra Pound (c. 1921). Prynwyd gan Margaret o Orielau Caerlŷr ym 1921 am £32 11d. Roedd Wyndham Lewis yn aelod o grŵp artistiaid Camden Town a sefydlwyd gan Sickert ym 1911. Enwyd y grŵp ar ôl yr ardal ddi-raen yng ngogledd Llundain lle bu Sickert yn byw. Artistiaid Ôl-Argraffiadol o Brydain oeddent ac roeddent yn peintio tirluniau a threfluniau mewn gwahanol arddulliau. Er nad oedd Margaret yn gwneud ymdrech i gael gweithiau i gynrychioli mudiadau celfyddydol neilltuol yn ei chasgliad, roedd ganddi ddarnau gan sawl aelod o grŵp Camden Town. *© Wyndham Lewis ac Ystad Mrs G. A. Wyndham Lewis trwy garedigrwydd Ymddiriedolaeth Goffa Wyndham Lewis (elusen gofrestredig).*

Paul Nash, *Gregynog*, 1938. Prynwyd gan Margaret o Orielau Caerlŷr ym 1957 am £157 10d. Roedd Nash wedi ymweld â'r chwiorydd yng Ngregynog ym 1938 ac roedd wedi arlunio a thynnu lluniau camera o'r tiroedd tra oedd yn aros yno. *© Tate*

Pierre Bonnard, *Heulwen yn Vernon*. Prynwyd gan Margaret ym 1960 oddi wrth gwmni Roland, Browse a Delbanco am £14,700. Hwn oedd un o'r gweithiau Ewropeaidd olaf i gyrraedd y casgliad a'r unig waith gan Bonnard i'r naill na'r llall o'r chwiorydd ei brynu. Hwn hefyd oedd y llun mwyaf costus a brynwyd. *© ADAGP, Paris a DACS, Llundain 2007*

Stanley Spencer, *Hilda Spencer*, 1947. Prynwyd gan Margaret ym 1960 oddi wrth Arthur Tooth & Sons Ltd am £150. Dyma bortread o wraig gyntaf Spencer, Hilda Carline, a oedd hefyd yn arlunydd. Priodwyd y ddau ym 1925 a chawsant ysgariad ym 1937. Hwn yw'r unig waith gan Spencer yng nghasgliad y chwiorydd. *© Ystad Stanley Spencer/DACS 2007*

Cedric Morris, *Ger Cagnes*. Prynwyd gan Margaret o Orielau Caerlŷr ym 1952 am £78 15d. Roedd Morris yn artist dylanwadol o Gymro a sefydlodd yr East Anglian School of Painting and Drawing gyda'i bartner a'i gyd-artist, Arthur Lett-Haines. Ymhlith eu myfyrwyr roedd Lucian Freud a Maggie Hambling. *© Ystad Syr Cedric Morriss*

Edouard Manet, *Argenteuil – Bad*, 1874. Prynwyd gan Margaret ym Mharis ym 1920. Astudiaeth yw hon ar gyfer darlun mwy. Mae'n dangos badau hwylio yn y blaen, badau golchi ar ben draw'r afon ac yn y pellter mae mwg yn codi o danerdai enwog y dref.

Terry Frost, *Harbwr Brown*, tua 1950. Prynwyd gan Margaret o Orielau Waddington ym 1961 am £250. Roedd Frost yn ffigwr blaenllaw yng ngrŵp St Ives ac yn un o hyrwyddwyr celfyddyd haniaethol ym Mhrydain. Yn y 1950au, cychwynnodd Frost gyfres o weithiau (yn cynnwys hwn) ar ôl iddo gael ei ysbrydoli gan y cychod y byddai'n eu gwylio yn yr harbwr yn St Ives. Mae'r llinellau sy'n torri ar draws ei gilydd yn y llun yn adleisio siapiau'r cychod yn siglo ar donnau'r môr, llinellau crwm y rhaffau oedd yn eu dal yn y dŵr, yr hwylbrenni'n cael eu chwythu yn y gwynt a'r mân donnau'n dod i'r lan. Nid oedd Margaret wedi gwirioni ar gelfyddyd haniaethol ond efallai bod y llun hwn wedi apelio ati oherwydd y cysylltiadau gweledol rhyngddo ag *Argenteuil – Bad* gan Manet a brynwyd ganddi ym 1920.

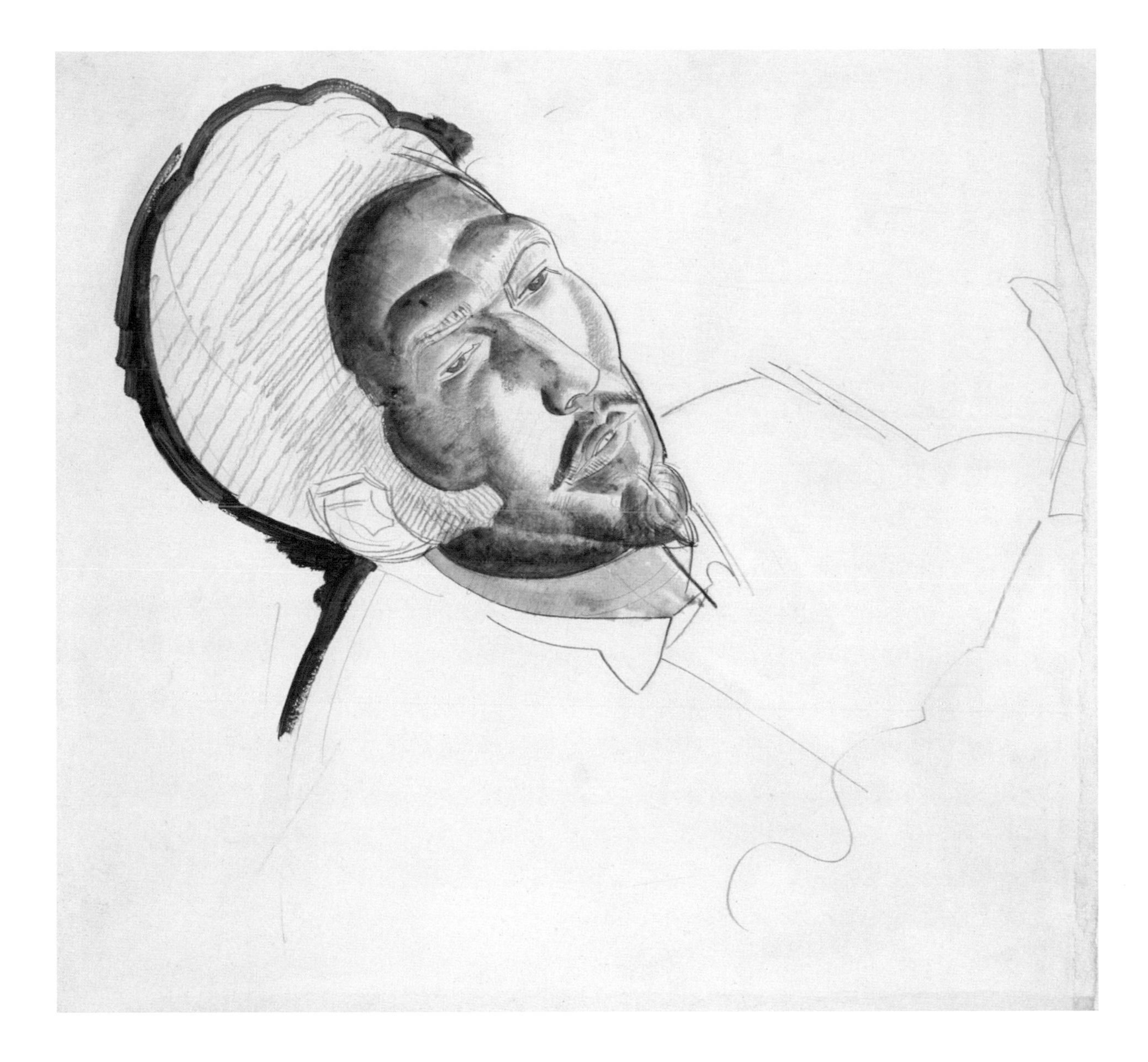

hefyd am yr ychydig ddarluniau Ewropeaidd a brynodd tua diwedd ei hoes – hi oedd wedi prynu'r unig ddarn gan Alfred Sisley yn y ddwy gymynrodd, a darn bob un gan Henri Moret, Pierre Bonnard, Maurice Utrillo ac Oskar Kokoshka ymhlith eraill. Talwyd am y rhain â'r arian a gafodd trwy werthu, tua dechrau 1960, gweithiau y teimlai eu bod yn debyg i luniau eraill oedd ganddi. Fel arall, roedd Margaret yn talu llai o lawer nag y gwnâi yn y dyddiau cynnar, llai na chanpunt yn aml.

Roedd David Baxandall, oedd yn Geidwad Cynorthwyol ac yna'n Geidwad Celfyddyd yn yr Amgueddfa Genedlaethol rhwng 1928 to 1941, wedi prynu rhai darnau o gelfyddyd fodern Prydain ar gyfer casgliad yr Amgueddfa. Roedd ef o flaen ei amser o ran ei chwaeth a'i frwdfrydedd yn hinsawdd y byd celfyddydol yng Nghymru ar y pryd. O dan ei arweiniad ef y prynwyd darnau a gyfrifid yn feiddgar o waith David Jones, Gwen John, Winifred Nicholson, Henri Gaudier-Brzeska ac Augustus John. Ar ôl i Baxandall ymadael, arafwyd y gwaith o brynu darnau gan artistiaid cyfoes o bwys tan i'r Amgueddfa brynu *Motiff Unionsyth rhif 8* gan Henry Moore ym 1962. Felly, roedd y darnau a brynai Margaret yn y 1950au yn hollbwysig. O'r 1970au ymlaen y prynwyd llawer o'r darnau o gelfyddyd Brydeinig sydd yn y casgliad cenedlaethol ac roedd cymynrodd Margaret yn ddigon i argyhoeddi'r awdurdodau bod angen datblygu'r maes hwn. Yn sicr, llwyddodd y gymynrodd i lenwi nifer o fylchau pwysig – hyd heddiw, darnau a brynwyd gan Margaret yw'r unig weithiau gan nifer o artistiaid blaenllaw sydd yn y casgliad cenedlaethol.

Efallai mai peintio Margaret ei hunan oedd yn gyfrifol am y ffaith fod ganddi chwaeth mwy avant-garde. Yn ei dyddiaduron cynnar, mae'n amlwg bod Margaret yn edrych ar olygfeydd fel artist – mae'n sôn am liwiau a siapiau adeiladau ac afonydd, gan gyfeirio at yr Argraffiadwyr. Felly, gellid tybio efallai y byddai Margaret yn fwy agored i fathau mwy newydd o beintio, fel celfyddyd haniaethol, y gellir dweud eu bod wedi parhau â'r broses a gychwynnwyd gan yr Argraffiadwyr o chwalu ffurfioldeb peintio. Fodd bynnag, o'i gohebiaeth gyda John Steegman, ei chynghorydd yn nes ymlaen yn ei bywyd, gwelwn nad oedd wedi'i swyno gan ffurfiau newydd o beintio haniaethol. Mewn llythyr dyddiedig Chwefror 1961, dywed Steegman 'Gwn nad ydych chi, mwy na minnau, yn uniaethu (â pheintio haniaethol) yn ei ffurfiau mwyaf eithafol'. Fodd bynnag, mae'n ychwanegu 'pa un bynnag a yw rhywun yn ei hoffi ai peidio, mae'r gwahanol raddau o beintio haniaethol yn cynrychioli iaith ddarluniol a dderbynnir yn ein hoes ni, heddiw, a dyna fydd barn pobl yn y dyfodol hefyd.'

Ar gyngor Steegman, gellir dadlau mai'r pryniant mwyaf mentrus a wnaeth Margaret oedd y llun haniaethol *Harbwr Brown* gan Terry Frost. Roedd wedi prynu *Argenteuil – Bad* gan Edouard Manet ym 1920 ac efallai bod y llun hwn gan Frost wedi apelio ati oherwydd y

cysylltiadau gweledol rhwng y ddau ddarn. Ni wyddom yn sicr pryd y daeth Steegman yn gynghorydd i Margaret ond tybir iddo ddod i nabod y chwiorydd Davies tra oedd yn Geidwad yr Adran Gelfyddyd yn yr Amgueddfa Genedlaethol rhwng 1945 a 1952.

Roedd Steegman yn ymwybodol iawn o'r gwahaniaethau rhwng casgliadau cyhoeddus a rhai preifat. Yn yr un llythyr at Margaret ag yr oedd yn rhoi cyngor iddi ar gelfyddyd haniaethol, mae'n sôn am drawsnewid y casgliad 'o'r *preifat* i'r *sefydliadol*'. Dywed ei bod yn rhaid i chwaeth y casglwr ildio i ryw raddau i chwaeth a gofynion y cyhoedd, hen ac ifanc, sy'n ymddiddori mewn celfyddyd, 'nid yn unig heddiw ond yfory hefyd'. Mae'n mynd ymlaen i bwysleisio bod ei chwaeth hi'n dal yn bwysig, ond y dylai ystyried prynu gweithiau na fyddai hi, o anghenraid, yn eu dewis yn bersonol, er mwyn sicrhau bod y casgliad yn gyflawn. Mae'n ddiddorol nodi ei fod yn cyfeirio'n benodol at Graham Sutherland a Francis Bacon, ond na phrynodd hi waith gan y naill na'r llall.

Felly, ni fyddai Margaret bob amser yn glynu at gyngor ei chynghorwyr. Fodd bynnag, fel y dywedodd Steegman wrthi, 'Rwy'n credu y dylai casgliad fel eich un chi, a fydd yn llygad y cyhoedd, gadw chwaeth y casglwr i ryw raddau, yn gymaint yn yr hyn nad yw'n ei gynnwys ag yn yr hyn y mae'n ei gynnwys, er mwyn rhoi'r blas personol sy'n nodwedd amlwg ym mhrif gasgliadau celfyddydol Lloegr'. Yr elfen hon o chwaeth bersonol y casglwr sydd wedi sicrhau bod y gymynrodd hon o gelfyddyd fodern Brydeinig nid yn unig wedi chwarae rhan hanfodol yn llenwi bylchau yn y casgliad cenedlaethol, ond ei bod hefyd wedi hau hadau ar gyfer gwaith casglu dilynol, cyhoeddus a phreifat, sy'n para hyd heddiw.

Uchod: Ivon Hitchens, *Coed o Do Ty: Hydref* (1947). Prynwyd o Orielau Caerlŷr ym 1950 am £121 15d. Mae'r gwaith hwn, ynghyd â *Harbwr Brown* gan Frost, yn un o'r lluniau mwyaf haniaethol yr oedd Margaret yn berchen arno. Roedd ei chwaeth yn fwy avant-garde na chwaeth ei chwaer, Gwendoline, ond nid oedd yn hoff o luniau eithriadol o haniaethol. © *Ystad Ivon Hitchens*

LLYFRYDDIAETH

CYFLWYNIAD

Campbell, Bruce A., 'The battle of the sites: a national museum for Wales', (traethawd ymchwil doethuriaeth heb ei gyhoeddi, Prifysgol Caerlŷr, 2006).

Dictionary of Welsh Biography a'i atodiadau (B. H. Blackwell Cyf., 1959), ar gyfer y bywgraffiadau byrion o bobl a enwyd yn y bennod hon.

Ellis, E. L., *The University College of Wales, Aberystwyth, 1872–1972* (Gwasg Prifysgol Cymru, 2004).

Ellis, E. L., *T. J.: a life of Dr Thomas Jones, CH* (Gwasg Prifysgol Cymru, 1992).

Ellis, T. I., *John Humphreys Davies, 1871-1926* (Lerpwl, 1963).

Howell, David W., *Land and people in nineteenth-century Wales* (Studies in economic history) (Routledge a Kegan Paul, 1977).

Hughes, Glyn Tegai, Morgan, Prys a Thomas, J. Gareth (gol.), *Gregynog* (Gwasg Prifysgol Cymru, 1977).

Idwal Jones, Kitty (gol.) *Syr Herbert Lewis, 1858-1933* (Gwasg Prifysgol Cymru,1958)

Jenkins, David, *A refuge in peace and war: the National Library of Wales to 1952* (Llyfrgell Genedlaethol Cymru, 2002).

Jones, Thomas, *A diary with letters, 1931–50* (Gwasg Prifysgol Rhydychen, 1954).

Lord, Peter, *Diwylliant gweledol Cymru: Delweddu'r Genedl* (Gwasg Prifysgol Cymru, 2000).

Lord, Peter, *Diwylliant gweledol Cymru: Y Gymru Ddiwydiannol* (Gwasg Prifysgol Cymru, 1998).

Lloyd-Morgan, Ceridwen, 'Gwendoline and Margaret Davies', yn *Oxford Dictionary of National Biography* (Gwasg Prifysgol Rhydychen, 2004).

Morgan, Kenneth O., 'David Davies, 1880–1944', yn *Oxford Dictionary of National Biography* (Gwasg Prifysgol Rhydychen, 2004).

Morgan, Kenneth O., *Rebirth of a nation (History of Wales 1880-1980)* (Gwasg Prifysgol Rhydychen, 1981).

Morgan, Prys, *The University of Wales, 1939-1993* (Gwasg Prifysgol Cymru, 1997).

Parrott, Ian, *The spiritual pilgrims* (C. Davies, 1969).

Thomas, Ivor, *Top Sawyer: a biography of David Davies of Llandinam* (Longmans, 1938; ailargraffiad, Golden Grove Edition, 1988).

Thomas, Owen, *Cofiant y Parchedig John Jones, Talsarn* (Wrecsam, 1874)
White, Eirene, *The Ladies of Gregynog* (Gwasg Prifysgol Cymru, 1985)

Williams, J. Gwynn, *The university movement in Wales* (Gwasg Prifysgol Cymru, 1993).

Cyfweliad

Dora Herbert Jones, 1977.

BETH BYNNAG A YMAFAEL DY LAW YNDDO I'W WNEUTHUR

Boyns, Trevor, 'Growth in the coal industry: the cases of Powell Duffryn and the Ocean Coal Company, 1864-1913', yn Baber, Colin a Williams, L.J., *Modern South Wales: essays in economic history* (Gwasg Prifysgol Cymru, 1986).

Christiansen, Rex a Miller, R. W., *The Cambrian railways, Vol. 1, 1852-1888,* (David a Charles, 1967).

Jones, Goronwy, *David Davies (1818-1890), Llandinam* (Hughes, 1913).

Jones, Gwyn Briwnant, *Railway through Talerddig* (Gomer, 1990).

Protheroe, I. W., 'The port and railways of Barry', yn Moore, Donald (gol.), *Barry: the Centenary Book* (Pwyllgor Llyfr Canmlwyddiant y Barri,1984).

Tedstone, M. A., *The Barry railway steamers* (Oakwood Press, 2005).

Thomas, Ivor, *Top Sawyer*: a biography of David Davies of Llandinam (Longmans, 1938; ailargraffiad, Golden Grove, 1988).

Williams, Herbert, *Davies the Ocean: railway king and coal tycoon* (Gwasg Prifysgol Cymru, 1991).

PRYDFERTHWCH MAWR

Dumas, Ann a Robins, Ann, *Cézanne in Britain* (catalog arddangosfa Yr Oriel Genedlaethol, Llundain, 2006).

Ellis-Jones, Michael, *A boyhood's recall 1937-1945,* (yr awdur, 2006).

Evans, Mark, 'The Davies sisters of Llandinam and Impressionism for Wales 1908-1923', *Journal of the History of Collections*, 16, rhif 2, 2004.

Ingamells, John, *The Davies Collection of French art* (Amgueddfa Cymru, 1967).

McIntyre, Bethany, *Chwaeth y Chwiorydd: Gweithiau ar bapur o Gasgliad Davies* (Amgueddfa Cymru, 2000).

Meyrick, Robert, 'Hugh Blaker: doing his bit for the moderns', *Journal of the History of Collections*, 16, rhif. 2, 2004.

Rowan, Eric a Stewart, Carolyn, *An elusive tradition: art and society in Wales 1870-1950* (Gwasg Prifysgol Cymru, 2002).

Sumner, Ann, *Goleuni a Lliw: pumdeg o weithiau argraffiadol ac ôl-argraffiadol yn yr Amgueddfa Genedlaethol* (Amgueddfa Cymru, 2005).

Llawysgrifau (casgliad preifat)

Dyddiadur ymweliad â Llundain i ddathlu Jiwbilî'r Frenhines Fictoria, 1897.

Llyfr llofnodion Gwendoline Davies o'i dyddiau ysgol, 1899.

Llyfr llofnodion Margaret Davies o'i dyddiau ysgol, 1902.

Nodiadau o gyfres o ddarlithoedd gan Miss Watson yn Dresden, 1907-08.

Tabl hanes Gwendoline o arlunwyr Eidalaidd, diddyddiad.

Dyddiadur Gwendoline o'i thaith yn yr Eidal, 1909.

Dyddiadur Margaret o'i thaith yn yr Eidal, 1909.

Dyddiadur Margaret o wythnos yn Bayreuth, 1909.

Dyddiadur Margaret o daith o gwmpas Ewrop yn Daimler y teulu, 1910.

Dyddiadur Margaret o aeaf yn ne Ffrainc, diddyddiad.

Cyfieithiad o 'r Ffrangeg o *Fywyd Cézanne* gan A. Vollard, yn ysgrifen Margaret, 1918.

CHWALU'N CHWILFRIW

Art in exile: Flanders, Wales and the First World War, (exhibition catalogue, Museum of Fine Arts, Ghent; Hannema-de Stuers Foundation, Heino; Amgueddfa Cymru, 2002).

Dixon, Agnes M., *The Cantineers* (John Murray, 1917).

Evans, Mark, 'The Davies family of Llandinam and Impressionism for Wales', *Journal of the History of Collections*, 16, no. 2, 2004.

Evans, Mark a Fairclough, Oliver, *Yr Oriel Gelf: Amgueddfa Genedlaethol Cymru* (Amgueddfa Cymru, 1993).

Lord, Peter, *Diwylliant Gweledol Cymru: Delweddu'r Genedl* (Gwasg Prifysgol Cymru, 2000).

Rowan, Eric a Stewart, Carolyn, *An elusive tradition: art and society in Wales, 1870-1950* (Gwasg Prifysgol Cymru, 2002).

Vincentelli, Moira, 'The Davies family and Belgian refugee artists and musicians in Wales', *Llyfrgell Genedlaethol Cymru Journal*, XXII, 1981.

White, Eirene, *The Ladies of Gregynog* (Gwasg Prifysgol Cymru, 1985).

Llawysgrifau (casgliadau preifat)

Dyddiaduron Margaret, 1917 a 1918; traethodau ar fywyd yn y cantîn, albwm o luniau, llofnodion ac ati.

Albwm Gwendoline o ffotograffau, llofnodion ac ati.

Llawysgrifau (casgliadau cyhoeddus)

Papurau Thomas Jones, Llyfrgell Genedlaethol Cymru; archif casgliad Davies, Amgueddfa Cymru; Papurau Mrs E. J. Rideal a Mrs L. C. Cowper, yr Amgueddfa Ryfel Imperialaidd.

HARDDWCH SYMLRWYDD

Holland, Neil a Meyrick, Robert, *Addysgu ac ysbrydoli: 125 mlwyddiant y casgliad Celf a Chrefft* (Gwasg Prifysgol Cymru, 1997).

Hughes, Glyn Tegai, Morgan, Prys a Thomas, J. Gareth (gol), *Gregynog* (Gwasg Prifysgol Cymru, 1977).

Shen, Lindsay, 'Philanthropic furnishing: Gregynog Hall, Powys', *Furniture History*, 31 (1995).

Vincentelli, Moira, 'The U.C.W. Arts and Crafts Museum', *Ceredigion, Journal of the Ceredigion Antiquarian Society*, 9, no.1, 1980.

White, Eirene, *The Ladies of Gregynog* (Gwasg Prifysgol Cymru, 1985).

Llawysgrifau (casgliadau cyhoeddus)

Papurau Thomas Jones, Llyfrgell Genedlaethol Cymru, Prifysgol Cymru a Gregynog.

NAWDD DOETH A NODDFA HAEL

Ellis, E. L., *T. J.: A Life of Dr Thomas Jones, CH* (Gwasg Prifysgol Cymru, 1992).

Grenfell, Joyce, *Joyce Grenfell requests the pleasure* (Macmillan, 1976).

Hughes, Glyn Tegai, Morgan, Prys a Thomas, J. Gareth (gol.), *Gregynog* (Gwasg Prifysgol Cymru, 1977).

Jones, Thomas, *Welsh broth* (Griffiths & Co.,1951).

Jones, Thomas, *A diary with letters 1931-1950* (Gwasg Prifysgol Rhydychen, 1954).

White, Eirene, *The Ladies of Gregynog* (Gwasg Prifysgol Cymru, 1985).

Llawysgrifau (casgliadau cyhoeddus)

Llyfr Ymwelwyr Neuadd Gregynog 1921-1962 a *Llyfr Ymwelwyr Gwasg Gregynog 1923-1962* (Llyfrgell Genedlaethol Cymru, Aberystwyth).

John Christopher, 'Gregynog reminiscences and *dramatis personae'*, llythyr at Amgueddfa Cymru, 2006.

Mary Hackett, llythyrau adref 24 a 31 Gorffennaf 1938 (copïau), Amgueddfa Cymru.

Thomas Jones, papurau yn Llyfrgell Genedlaethol Cymru.

CELFYDDYD ER MWYN CARIAD

Allsobrook, David Ian, *Music for Wales* (Gwasg Prifysgol Cymru, 1992).

Crossley-Holland, Peter, (gol.), *Music in Wales* (Argraffiad Hinrichsen, 1948).

Davies, Henry Walford, *The musical outlook in Wales* (Welsh Outlook, 1926).

Gibbs, Alan, 'Gustav Holst and Gregynog' yn *Transactions of the Honourable Society of Cymmrodorion 2003*, Cyf. 10, 2004.

Hywel, John, 'Music during the Davies Period' yn Hughes, Glyn Tegai, Morgan, Prys a Thomas J. Gareth, (gol.), *Gregynog* (Gwasg Prifysgol Cymru, 1977).

Parrott, Ian, *The spiritual pilgrims* (C. Davies, 1969).

Gwahanol gyhoeddiadau'r Cyngor Cerddoriaeth Cenedlaethol, 1920-2.

Llawysgrifau (casgliadau preifat)

Dyddiaduron Bayreuth Margaret Davies, Awst 1909 ac Awst 1911.

Llawysgrifau (casgliadau cyhoeddus)

Archif Walford Davies, Coleg Cerdd Brenhinol, Llundain; Adran Gerdd Prifysgol Cymru; Cymdeithas Alawon Gwerin Cymru; Llythyrau Gwendoline Davies at Thomas Jones, Lucie Barbier, oll o Lyfrgell Genedlaethol Cymru.

ARGRAFFU, RHWYMO A DARLUNIO

Bakker, Steven A., *The Miss Margaret Sidney Davies complete collection of special Gregynog bindings* (De Zilverdistel N. V. Rare Books, Antwerp, 1995).

Davies, J. Michael, *The private press at Gregynog* (Coleg Celf Caerlŷr, 1959).

Ellis, E. L. *T. J.: a life of Dr Thomas Jones, CH* (Gwasg Prifysgol Cymru, 1992).

Fish, Wendy, *Gregynog Press: illustrated from material in the National Art Library* (Amgueddfa Victoria ac Albert, Llundain, 1987).

Haberly, Loyd, *An American bookbuilder in England and Wales: reminiscences of the Seven Acres and Gregynog presses* (Bertram Rota, 1979).

Harrop, Dorothy A., 'George Fisher and the Gregynog Press', *The Book Collector,* 19/4, 1970.

Harrop, Dorothy A., *A history of the Gregynog Press* (Private Libraries Association, Pinner, 1980).

Hodgson, H., *Herbert Hodgson, printer; work for T. E. Lawrence and at Gregynog* (The Fleece Press, 1989).

Hughes, Glyn Tegai, Morgan, Prys a Thomas, J. Gareth (gol.), *Gregynog* (Gwasg Prifysgol Cymru, 1977).

Hughes-Stanton, Penelope, *The wood engravings of Blair Hughes-Stanton* (Cymdeithas y Llyfrgelloedd Preifat, Pinner, 1991).

Hutchins, Michael, *Printing at Gregynog/Argraffu yng Ngregynog* (Cyngor Celfyddydau Cymru, 1976).

Jones, Thomas, *A diary with letters 1931-1950* (Gwasg Prifysgol Rhydychen, 1954).

Jones, Thomas, *The Gregynog Press: a paper read to the Double Crown Club on 7 April 1954* (Gwasg Prifysgol Rhydychen, 1954).

Rogerson, Ian, *Agnes Miller Parker: wood engravings from 'Fables of Esope'* (Gwasg Gregynog, 1996).

Rogerson, Ian, *Agnes Miller Parker: wood engravings from 'XXI Welsh gypsy folk-tales'* (Gwasg Gregynog, 1997).

Rogerson, Ian, *The wood engravings of Agnes Miller Parker* (Y Llyfrgell Brydeinig, 2005).

Selborne, Joanna, *British wood-engraved book illustration 1904-1940* (Clarendon Press, 1998).

White, Eirene, *The ladies of Gregynog* (Gwasg Prifysgol Cymru, 1985).

CHWAETH Y CASGLWR

Dawkes, Bryony a Meyrick, Robert, *Radical visions: British Art 1910-1950* (Oriel Davies, y Drenewydd, 2006).

Elsner, John a Cardinal, Roger, *Cultures of collecting* (Reaktion Books, 1994).

Evans, Mark a Fairclough, Oliver, *Yr Oriel Gelf: Amgueddfa Genedlaethol Cymru (*Amgueddfa Cymru, 1993).

Ingamells, John, 'The Margaret Davies Bequest to the National Museum of Wales', *The Connoisseur,* 156, 1964.

McIntyre, Bethany, *Chwaeth y Chwiorydd: gweithiau ar bapur o gasgliad Davies*

Rollo, Charles, *Catalogue of the Margaret S. Davies Bequest of Paintings, Drawings and Sculpture* (Amgueddfa Cymru, 1963).

Rowan, Eric a Stewart, Carolyn, *An elusive tradition: art and society in Wales 1870-1950* (Gwasg Prifysgol Cymru, 2002).

Sumner, Ann, *Goleuni a Lliw: pumdeg o weithiau argraffiadol ac ôl-argraffiadol yn yr Amgueddfa Genedlaethol* (Amgueddfa Cymru, 2005).

Wilson, Simon, *Tate Gallery: An illustrated companion* (Tate Gallery Publications, 1995).

NODIADAU AR Y CYFRANWYR

Mae'r Athro Prys Morgan yn Athro Emeritws mewn Hanes ym Mhrifysgol Cymru, Abertawe.

Robert Meyrick yw Pennaeth yr Ysgol Gelf a Cheidwad Celf Prifysgol Cymru, Aberystwyth.

Yn Amgueddfa Cymru:

Louisa Briggs yw'r Curadur Celf Fodern a Chyfoes; Bryony Dawkes yw Curadur Celf Cymru Gyfan, un o brojectau partneriaeth Amgueddfa Cymru; Oliver Fairclough yw'r Ceidwad Celf; mae Eveline Holsappel yn Guradur Cynorthwyol Celf Gymhwysol; David Jenkins yw'r Uwch Guradur Diwydiant; John Kenyon yw'r Llyfrgellydd ac Ann Sumner yw'r Pennaeth Celfyddyd Gain.

Y TEULU DAVIES

DAVID DAVIES (1818-1890) - P. (1851) MARGARET JONES (1814 - 1894)

EDWARD DAVIES (1852-1898) - P. (1877) MARY JONES (1850-1888) - P. (1892) ELIZABETH JONES (1853-1942)

GWENDOLINE DAVIES (1882-1951) **MARGARET DAVIES (1884-1963)**

DAVID DAVIES (1880-1944) - P. (1910) AMY PENMAN (1883-1918) - P. (1922) HENRIETTA MARGARET (RITA) FERGUSSON (M. 1948)

MARY DAVIES

ISLWYN EDMUND EVAN DAVIES (1926-2003)

EDWARD DAVID GRANT DAVIES (1925-1997)

JEAN DAVIES

MARGUERITE DAVIES (1917-1930)

DAVID (MIKE) DAVIES (1915-1944) - P. (1939) - RUTH ELDRYDD DUGDALE (1916-1966)

DAVID DAVIES (Y TRYDYDD ARGLWYDD DAVIES) (1940 -)

JONATHAN DAVIES (1944 -)